CINQ
bonnes
minutes
au travail

Jeffrey Brantley, M.D.
Wendy Millstine

CINQ bonnes minutes au travail

100 exercices

pour vous aider à vous détendre et à donner le meilleur de vous-même au travail

Traduit par Nicole Lapierre Vincent

Montréal, Canada

L'édition originale de cet ouvrage a été publiée sous le titre
FIVE GOOD MINUTES AT WORK:
100 mindful practices to help you relieve stress
& bring your best to work

New Harbinger Publications, Inc. (É.-U.)
ISBN 978-1-57224-490-0

Conception de la couverture: Alexandre Béliveau
Réalisation de la couverture: Jean-François Szakacs

Dépôt légal: 1er trimestre 2009
Bibliothèque et Archives nationales du Québec
Bibliothèque nationale du Canada

ISBN 978-2-89092-395-9

BÉLIVEAU éditeur
5090, rue de Bellechasse
Montréal (Québec) Canada H1T 2A2
514-253-0403 Télécopieur: 514-256-5078

www.beliveauediteur.com
admin@beliveauediteur.com

Gouvernement du Québec — Programme de crédit d'impôt pour l'édition de livres — Gestion SODEC — www.sodec.gouv.qc.ca.

Nous reconnaissons l'aide financière du gouvernement du Canada par l'entremise du Programme d'aide au développement de l'industrie de l'édition pour nos activités d'édition.

IMPRIMÉ AU CANADA

Ce livre est dédié à tous ceux qui travaillent. Que vos efforts vous procurent une plus grande satisfaction et une plus grande qualité de vie. Que la terre entière tire profit de vos dons.

– J. B.

À Judy et Matthew McKay, dont la fidélité de tous les instants, le soutien et la bienveillance m'ont guidée dans cette aventure enrichissante, et qui ont contribué à ce qu'une conscience claire irradie tous les aspects de ma vie.

– W. M.

Table des matières

Introduction

Est-il possible que le travail — peut-être même le *vôtre* —, qu'il ait quelque forme que ce soit ou qu'il se trouve ici ou là, puisse, d'une façon ou d'une autre, nourrir un sentiment plus profond de la communication avec les autres, et un plus grand sentiment de respect et de reconnaissance quant au mystère de la vie en chacun de nous ?

Votre vie au travail pourrait-elle être plus satisfaisante ?

Souhaiteriez-vous travailler avec plus d'efficacité ? Aimeriez-vous fonctionner avec plus de sérénité et moins de stress ? Aimeriez-vous développer des relations plus agréables avec vos collègues ?

Comment l'un ou l'autre de ces souhaits pourrait-il se réaliser ?

Dans nos trois livres précédents, *Cinq bonnes minutes le matin : 100 exercices pour vous aider à rester calme et garder le focus toute la journée*, *Cinq bonnes minutes le soir : 100 exercices pour vous aider à vous détendre après votre journée et profiter de votre soirée au maximum* et *Cinq bonnes minutes en amour : 100 exercices d'attention pour approfondir votre amour et le raviver chaque jour,* nous avons dit que même les personnes les plus occupées peuvent prendre « cinq bonnes minutes » pour faire délibérément un exercice qui peut les aider à changer leur vie de manière significative et même profonde.

Le concept des cinq-bonnes-minutes est simple : prenez le temps, pendant cinq minutes seulement (vous pouvez, *bien évidemment, prendre plus de temps !), pour être présent consciemment, pour déterminer une intention claire pour vous-même, et pour agir sans réserve, sans attendre de résultat, et ce, en pratiquant un exercice ou une activité ciblés.*

En exerçant, avec bienveillance et curiosité, votre capacité à être présent de façon consciente, à déterminer votre intention clairement et à agir sans réserve, vous ouvrez la porte à ce que de nouvelles expériences intéressantes et enrichissantes surgissent dans l'univers qui vous est le plus familier, votre travail ou votre milieu professionnel !

Les 100 exercices de ce livre sont tous centrés sur la vie telle qu'elle se passe au travail. Ils vous offrent la possibilité de retrouver votre cœur et votre âme à travers votre vie au travail et d'enrichir également les expériences de votre esprit et de votre corps, et tout cela pendant que vous accomplissez votre travail avec une plus grande efficacité.

Les exercices sont conçus pour être pratiques et faciles — à la fois ciblés et concrets — mais aussi attrayants et amusants. Vous pouvez faire l'un d'entre eux tout de suite, au travail. Certains sont plus légers, tandis que d'autres font appel à une expérience plus réfléchie. Vous pouvez même en trouver quelques-uns qui sont plus inspirants et plus stimulants, qui vous proposent une nouvelle façon de voir votre vie au travail (et plus largement votre voyage à travers la vie) que vous n'aviez peut-être pas soupçonnée auparavant.

Retrouvez votre vie, ici, dans le moment présent

Le fondement de ces cinq bonnes minutes est d'apprendre à être présent par la *pleine conscience*. La pleine conscience survient quand vous prêtez attention délibérément (à votre respiration, à votre corps ou à quoi que ce soit qui arrive en vous ou autour de vous), d'une manière bienveillante et sans jugement.

La vie, que vous soyez en train de travailler, de jouer ou de vous reposer, ne se passe que dans le moment présent. La capacité de pleine conscience que vous allez développer avec les exercices de ce livre peut vous aider à vivre le moment présent (et donc votre vie) plus consciemment et plus joyeusement.

Dans la section de cet ouvrage réservée aux fondements, vous trouverez des directives claires et faciles à suivre pour développer votre capacité à être conscient. En explorant les différents exercices proposés, sentez-vous libre de revoir ces directives chaque fois que vous en aurez besoin. Pendant que vous acquerrez de plus en plus d'expérience dans la pratique des exercices, vous découvrirez à quel point « être présent » est naturel et aisé: il suffit, par exemple, de respirer consciemment, tout simplement, d'écouter attentivement les sons ou de prêter une attention consciente aux sensations de votre corps.

Ne croyez pas tout ce que vous pensez

Faits consciemment et sans réserve, les 100 exercices de ce livre vous amènent à vivre de façon différente quelques-uns des aspects de votre quotidien au travail. Ces nouvelles manières de vous percevoir vous-même et les expériences de votre vie au travail peuvent vous fournir un nouvel éclairage et de nouvelles connaissances, augmenter votre bien-être, diminuer le stress et, même, faire de votre expérience du travail quelque chose de plus sain et de plus sûr.

Il peut vous arriver facilement de vous déconcentrer quand vous travaillez.

Il est facile de retomber dans ses vieilles habitudes d'inattention et de déconcentration. Il est facile de se raconter des histoires qui ne sont pas vraies.

Il est facile d'être envahi par des sentiments désagréables, comme l'inquiétude, la colère ou, même, par un malaise physique ou de la douleur.

Il est facile de sortir de soi-même, de s'arracher au moment présent quand on cède aux élans d'affairement ou au sentiment d'être « débranché » et mis à l'écart.

Dans de tels moments d'inquiétude et de précipitation, d'isolement et d'affolement, la capacité de chacun de travailler efficacement s'en voit réduite, tout comme la capacité de travailler d'une façon émotionnellement intelligente. Et, submergée par une telle confusion, une personne peut même travailler de façon dangereuse ou nuisible pour sa santé.

Ce livre, comme les trois autres qui l'ont précédé, a pour but de vous aider à devenir la meilleure personne possible, et de vous ouvrir à la possibilité d'avoir la vie la plus satisfaisante pour vous.

Et il y a une perspective plus large encore!

En tant qu'auteurs, nous croyons que si chaque personne trouve plus de joie et de bien-être, plus de paix et de compréhension dans sa propre vie, beaucoup d'autres personnes en profiteront aussi.

Dans cette perspective d'intercommunication, nous vous invitons à examiner la possibilité qu'il y ait des bienfaits à retirer, bien au-delà de l'expérience immédiate, même lorsque vous ne faites qu'un seul de ces exercices. Découvrir quelque chose de nouveau au sujet de vos interrelations peut constituer un bienfait supplémentaire à retirer de la pratique des exercices.

Cependant, il n'est pas nécessaire de vous tracasser à ce sujet maintenant; essayez les exercices, tout simplement, et vous verrez. Et souvenez-vous: ce que vous croyez savoir avant de faire un exercice pourrait ne pas être aussi vrai après! Nous vous encourageons à rester ouvert aux surprises que les exercices pourraient vous réserver.

L'objectif de ce livre vise clairement votre vie au travail, et des voies possibles pour y fonctionner et y vivre en étant aussi présent, aussi heureux et en santé que possible.

Les exercices de cet ouvrage sont regroupés en quatre grandes sections, chacune d'entre elles étant centrée sur un aspect particulier de la vie au travail. Les sections de regroupement sont les suivantes:

- accomplir plus efficacement votre travail;
- réduire le stress au travail;
- travailler plus intelligemment et être compatissant envers les autres;
- voyages, échéances, frustrations et autres possibilités.

Chaque section comprend des techniques et des exercices que vous pouvez faire en cinq minutes seulement. Ces exercices sont fondés sur: être présent, déterminer une intention et agir sans réserve. Chaque exercice a le pouvoir de changer votre façon de voir et de susciter des changements dans votre vie.

Ainsi, ce volume est pour vous ou, peut-être, pour quelqu'un que vous aimez et qui travaille, si vous pensez:

- qu'il est important de travailler de façon plus efficace et plus productive;
- qu'il est attrayant de jouir d'un plus grand bien-être et de réduire le stress au travail;
- que les relations avec les collègues pourraient être plus joyeuses et bienveillantes;
- que les frustrations de tous les jours, les échéances et les inquiétudes pourraient être mieux gérées;
- qu'une valorisation plus intense du respect de la vie et de son mystère pourrait être trouvée dans les activités quotidiennes au travail.

Nous avons une grande confiance dans le pouvoir de ces exercices et dans votre capacité à enrichir votre vie par la présence, l'intention et l'action sans réserve.

Maintenant, tout ce qu'il vous reste à faire est de plonger dans ce livre, d'en découvrir les possibilités, et d'y prendre plaisir!

PARTIE 1
Les fondements

Quelle est votre relation au travail (et à la vie)?

À quoi ressemble votre vie au travail? Aujourd'hui? Maintenant?

Aimeriez-vous avoir plus de bonheur et plus de succès? Souhaiteriez-vous que votre travail soit plus intéressant, plus enthousiasmant?

Est-ce que la possibilité que votre travail soit une passerelle vers d'autres façons de vous percevoir vous-même et de voir les autres vous intéresse? Est-ce qu'une façon renouvelée de voir la vie vous intéresse? Cette vision — ou compréhension — comprend de la curiosité, la valorisation du mystérieux et de ce qui inspire le respect, et de l'attention portée au cœur et à l'âme, aussi bien qu'à l'esprit et au corps.

Par « cœur », nous entendons une plus grande ouverture et un plus grand sentiment de communication avec les autres et avec ce qui se passe.

Par « âme », nous entendons une reconnaissance plus profonde et une meilleure compréhension de ce qui est plus grand que nous, plus grand que notre façon de vivre centrée sur nous-mêmes.

La clé pour enrichir votre expérience du travail et pour y faire de nouvelles découvertes fascinantes réside, très probablement, dans trois dimensions de votre travail, auxquelles vous prêterez une attention soutenue.

Ces dimensions sont les suivantes: *le rapport que vous avez avec vous-même* — psychologiquement, émotionnellement et physiquement; *la relation que vous avez avec les gens qui vous entourent* — ce que vous percevez de vous-même et des autres et vos relations avec eux; et enfin, *la manière dont vous vous reliez à votre travail actuel* — ce que vous vous racontez au sujet de votre travail, de sa valeur et de la qualité que vous y apportez.

À qui s'adresse ce livre?

Ce livre s'adresse à toute personne qui occupe un emploi, quel qu'il soit, comprenant les travailleurs non rémunérés et les bénévoles. Il s'adresse à toute personne qui désire tirer un meilleur parti de ce travail — en ce qui concerne la satisfaction, la joie, la paix, l'efficacité ou la reconnaissance.

Cet ouvrage et les exercices qu'il contient se veulent agréables, stimulants et d'un grand soutien; ils recèlent de puissantes possibilités de transformation.

Toutefois, pour retirer le maximum de bienfaits de ces exercices, vous aurez à fournir un certain effort. Vous devrez avoir de la fermeté, un peu de curiosité et de la bonne volonté pour essayer quelque chose de nouveau, de différent. En plus, vous serez invité à examiner et à explorer la possibilité suivante: vous êtes *plus* que la perception que vous avez de vous-même — plus vivant, plus bienveillant et généreux, plus courageux et inébranlable, et même plus fort et efficace que vous l'aviez imaginé.

Le contenu de ce livre repose sur *l'apprentissage par la pratique*. Les 100 différents exercices ne doivent pas être lus seulement, ils doivent être expérimentés. C'est par ces expérimentations que vous récolterez tous les bienfaits possibles. En faisant réellement (et non en lisant seulement) les exercices, fondés sur la capacité à être présent, à déterminer une intention et à agir sans réserve, vous ouvrirez la porte à des possibilités et à une compréhension de vous-même, qui n'existent en ce moment que potentiellement.

Les exercices proposés dans ce livre sont plus faciles à faire que vous pourriez le penser, et — que faut-il de plus — ils sont amusants et intéressants.

Tout ce qu'il vous faut, c'est un peu de curiosité et la volonté d'« essayer » l'un ou l'autre des exercices qui vous interpelle. Prenez ces pratiques suffisamment au sérieux pour les « approfondir », plusieurs fois peut-être. Puis, voyez si vous ressentez des effets après les avoir faites. Voyez par vous-même. Ne faites que celles qui font vraiment la différence.

Les exercices de cet ouvrage sont *réalisables*. Ils vous proposent des activités précises et des outils conçus pour être utilisés au travail. Ils recèlent la possibilité de changer la manière avec laquelle vous expérimentez, percevez et affrontez tout votre travail, à partir non seulement de ce que vous faites, mais en considérant aussi comment vous le faites et avec qui. Vous y trouverez de nouveaux choix et plus de réponses, ainsi, votre relation à vous-même et à la vie, et particulièrement à votre vie au travail, peut changer de manière très intéressante, voire même inattendue.

Cependant, ce livre n'est *pas* une potion magique. Il ne vous obtiendra probablement pas d'augmentation de salaire (du moins pas immédiatement), et, par ailleurs, il ne peut en rien vous aider à changer le comportement de quelqu'un d'autre. Il n'appliquera pas de la nouvelle peinture sur vos murs, ni n'atténuera le bruit infernal du dehors, ni ne changera aucune des nombreuses autres conditions actuelles.

Ce qui *peut* arriver — si vous commencez à « potasser » ces exercices —, c'est que vous commencerez à changer. Vous pourriez sentir que vous devenez plus détendu, plus attentif, plus réceptif, plus curieux, plus aimable, moins critique, moins anxieux ou moins obsessif. Quand cela arrive, qui sait si d'autres changements ne vont pas aussi se produire ?

Que sont ces « cinq bonnes minutes » ?

Le concept des cinq-bonnes-minutes est simple. Prendre une minute pour établir la pleine conscience, prendre un peu de temps pour déterminer une intention claire, puis prendre le temps qui reste pour faire, sans réserve, une activité ciblée, à partir de votre pleine conscience du moment présent comme point de départ.

CINQ BONNES MINUTES

Être présent, déterminer une intention,
agir sans réserve

Faire vos cinq bonnes minutes signifie arrêter délibérément et sortir du rythme intense et de la force habituelle (les façons connues et souvent inconscientes de penser, de ressentir et d'habiter votre corps) qui vous poussent en ce moment de votre vie. Cela signifie prêter attention, devenir un peu plus vigilant, et diriger son attention et son activité d'une manière nouvelle.

L'activité sans réserve que vous entreprenez peut être n'importe quoi, au sens propre du terme. Les exercices de ce livre sont centrés sur des situations au travail, sur la gestion du stress, sur les relations humaines, et même sur des situations particulières comme les voyages ou les échéances.

Comment cinq bonnes minutes pourraient-elles vous aider ?

« Être présent » signifie prêter attention et être plus conscient. « Pleine conscience » signifie avoir une conscience bienveillante et sans jugement. « Intention » et « sans réserve » concernent, d'une part, la concentration et, d'autre part, l'engagement.

En plus de receler le potentiel pour enrichir le cœur et l'âme, la pratique de l'art de la pleine conscience et le développement des habiletés nécessaires, l'intention et l'engagement peuvent avoir un effet significatif, de façon très concrète, sur une méthode de travailler plus sécuritaire, plus intelligente, et avec plus d'intérêt et d'enthousiasme.

Travailler de façon plus sécuritaire

Lorsque les gens travaillent sans pleine conscience, sans une attention adéquatement centrée sur le moment présent, ils risquent de se blesser eux-mêmes.

Ce risque de blessure existe, bien sûr, lors d'activités « périlleuses » — soulever des objets lourds, faire des mouvements maladroits, utiliser des méthodes inappropriées lors d'efforts physiques importants, aussi bien que travailler dans des environnements dangereux ou avec des matières toxiques.

Ce qui est souvent méconnu — même dans des emplois qui semblent relativement sécuritaires —, ce sont les conditions de travail dans lesquelles il y a une répétition excessive des mêmes mouvements ou de longues heures sans pauses, et dans lesquelles il y a une inattention généralisée aux signaux du corps et de l'esprit, réclamant du repos et de la détente.

Enfin (et c'est peut-être ce qui est le plus important), l'augmentation du risque de blessures semble être reliée au manque de conscience de soi concernant les sentiments, les pensées et la vie intérieure. On peut dire que ce n'est pas la quantité de stress qui importe, mais la façon de le gérer. En apprenant à être présent et à gérer vos niveaux de stress, tout en sachant quels sont les sentiments et les pensées en présence — qui donnent une certaine couleur à l'expérience en cours et à vos comportements dans la situation présente —, vous allez vous donner le pouvoir de travailler dans des conditions fondées sur la sécurité maximale.

Dans ce livre, vous trouverez des exercices conçus pour aviver vos capacités d'attention, pour vous aider à détendre aussi bien votre esprit que votre corps, et pour vous mettre plus facilement à l'écoute des événements de votre vie intérieure et de votre vie extérieure au travail, tout au long de la journée. Être plus attentif, plus présent et plus à l'aise dans votre travail peut vous aider à maintenir votre santé et votre sécurité tout au long de la journée.

L'intelligence émotionnelle au travail

Dans ses livres à succès, *L'intelligence émotionnelle : comment transformer ses émotions en intelligence* et *L'intelligence émotionnelle : cultiver ses émotions pour s'épanouir dans son travail*, l'auteur, Daniel Goleman, attire l'attention sur la façon dont les gens les plus efficaces, dans des champs d'action variés, expriment différemment leur intelligence.

Ce que Goleman veut dire par là, c'est que les gens vraiment efficaces sont capables de reconnaître leurs émotions et de les gérer, de s'entendre avec les autres et de travailler en équipe. Goleman raconte qu'il a eu, de la part de la communauté d'affaires, une réaction positive formidable à l'égard de son travail.

Dans une étude précédente, Goleman identifie cinq domaines d'intelligence émotionnelle : *la conscience de soi, la gestion de ses propres émotions, la capacité de s'automotiver, l'aptitude à reconnaître avec précision les émotions des autres* et *l'aptitude à gérer adroitement les relations humaines*.

Dans le contexte de la pratique généralisée du 24/7 (24 heures, sept jours par semaine), et de l'obligation de rendre compte des soixante-dix à quatre-vingts heures par semaine de travail, de la rapidité avec laquelle les innovations technologiques se produisent, de l'accélération du changement, de la concurrence mondiale et de la tendance organisationnelle à réduire les effectifs, il est maintenant plus crucial que jamais d'apprendre à travailler d'une façon émotionnellement intelligente.

Vous trouverez dans ce livre des exercices qui vous aideront à devenir plus conscient de votre vie intérieure, de vos sentiments et de vos pensées. Des exercices qui vous aideront à faire de la place à l'inquiétude, à faire face plus efficacement aux difficultés, et à prêter une attention plus bienveillante à votre vie telle qu'elle se déroule. Et il y a des exercices qui vous aideront à écouter les autres avec plus d'attention, à leur répondre de façon plus adéquate et à entretenir des relations avec eux avec plus d'adresse.

Travailler avec plus de joie et moins de stress

Se peut-il que le fait de prêter attention à votre vie intérieure et d'apprendre à diriger votre attention et votre conscience ait, explicitement, un effct positif sur votre sentiment de joie et de bien-être ? Se peut-il que de telles habiletés d'attention et de présence — en pleine conscience — soient profitables dans toute situation de vie extérieure, y compris celle du travail ? Se peut-il qu'une pratique constante de la méditation, en guise d'activité d'attention et de conscience, ait un effet sur le fonctionnement du cerveau et du corps ? Il y a des témoignages qui suggèrent que la réponse à ces questions est « oui ».

La réduction du stress par la pleine conscience est le nom d'un programme de gestion du stress et de promotion de la santé qui existe maintenant depuis vingt-cinq ans. Ce programme a été lancé par Jon Kabat-Zinn et ses collègues, au Centre médical de l'Université du Massachusetts, à Worcester. Les articles médicaux sur cette question rapportent des témoignages d'individus — dont certains souffraient de cancer, de fibromyalgie, de crises de panique, et de dépression légère ou modérée — pour qui l'apprentissage de la méditation par la pleine conscience, visant la santé et la réduction du stress, a eu des effets bénéfiques.

Dans une étude fascinante publiée en 2003 dans la revue médicale *Psychosomatic Medicine,* Richard Davidson, Jon Kabat-Zinn et leurs collègues ont enseigné à un groupe d'employés de la petite entreprise, dans une classe et pendant plusieurs semaines, les techniques nécessaires pour réduire le stress par la pleine conscience. Ils ont comparé le groupe qui faisait de la méditation à un groupe-témoin qui n'avait pas appris ou pratiqué les techniques de la pleine conscience.

Les chercheurs ont observé qu'il y avait, chez le groupe qui avait médité, une augmentation significative de l'activité dans la région frontale gauche du cerveau, ce qui n'était pas le cas chez le groupe qui n'avait pas médité. Des études antérieures ont montré que de telles augmentations dans l'activation de la région frontale gauche corroborent des auto-évaluations qui constatent une augmentation des sentiments positifs et une réduction de l'anxiété.

De plus, le groupe qui avait médité a manifesté une réponse immunitaire plus forte au vaccin contre la grippe, comparé aux personnes qui n'avaient pas médité.

Il semble, du moins dans ce groupe, que l'activité de méditation a vraiment provoqué des changements physiologiques significatifs et mesurables dans le cerveau et dans le corps, changements associés aux sentiments positifs et à un système immunitaire plus en santé.

Vous allez trouver des exercices dans ce volume qui vous enseigneront à renforcer votre capacité innée à être conscient. Vous pouvez même développer une pratique personnelle de la méditation à l'aide de certains exercices. Pendant que vous apprenez à « respirer consciemment pendant environ une minute » (ou aussi longtemps que vous le désirez !), vous vous donnez l'occasion de recueillir des bienfaits sur le plan de votre santé, tels que décrits dans des articles médicaux et dont profitent ceux qui pratiquent la méditation.

Vos clés des cinq-bonnes-minutes : présence, intention et absence de réserve

« Cinq bonnes minutes » signifie vivre le moment présent avec conscience, déterminer des intentions claires et agir sans réserve.

Pleine conscience : votre porte d'entrée dans le moment présent

« Respirez consciemment pendant environ une minute. » « Écoutez attentivement pendant environ une minute. » « Mettez-vous consciemment à l'écoute des sensations de votre corps pendant environ une minute. »

Quand vous « potasserez » les exercices de ce livre, vous verrez ces suggestions qui font appel à la pleine conscience. Que veut dire « être conscient » ?

La pleine conscience est une des façons de nommer une conscience qui est propre à tous les humains. Cette conscience est souvent comparée à un miroir : elle réfléchit fidèlement et entièrement tout ce qui passe devant elle. En d'autres mots, vous et tous les autres êtres humains avez la capacité de refléter l'image exacte de toute expérience, y compris celle de votre propre vie intérieure, faite de pensées, de sentiments et de sensations. La pleine conscience ne consiste *pas* à avoir plus d'idées, mais plutôt à être capable de savoir quand les pensées surviennent. Ce n'est pas la faculté de penser, pas du tout, mais c'est la conscience directe qui reconnaît et contient la pensée.

L'attention est la clé pour être conscient. Quand on vous demande de respirer consciemment pendant environ une minute, ou d'écouter attentivement, ce que vous faites est de prêter attention volontairement aux sensations de la respiration ou aux sons qui sont en vous ou autour de vous. En réalité, être conscient est vraiment prêter attention d'une façon particulière aux choses auxquelles vous n'aviez peut-être jamais prêté attention auparavant (et si vous l'aviez fait, cela aurait été d'une façon qui n'est pas celle de maintenant).

La *façon* dont vous prêtez attention est très importante.

Être conscient signifie prêter attention sans juger ou sans chercher à changer quoi que ce soit à ce qui se passe. *Ne faites que prêter attention.* Pas d'idées préconçues, pas de parti pris.

Et, enracinées dans cette façon de prêter attention, se trouvent les forces de la bienveillance et de la compassion. Cela signifie que, lorsque vous vous entraînez à être conscient, vous permettez à un sentiment d'accueil et de bonté de soutenir votre attention. Vous vous entraînez à faire toute expérience d'une manière chaleureuse et bienveillante.

Si tous ces propos sur l'attention et la pleine conscience vous paraissent étranges, abstraits ou ardus, ne vous inquiétez pas. Tout cela est plus facile à comprendre que vous pourriez l'imaginer.

Comment le fait d'être conscient pourrait-il vous aider à être présent?

Il se peut que vous vous posiez cette question: en quoi prêter une attention consciente serait-il une clé pour « être » dans le moment présent? Souvenez-vous un instant d'un moment pendant lequel vous n'étiez pas présent. Certains appellent cela « se mettre sur le pilotage automatique ». Vous vous rendez compte plus tard que vous avez, en fait, raté un événement important ou l'occasion de vivre une expérience importante, parce que votre attention — votre esprit — était ailleurs.

Une situation qui se rencontre couramment est celle où des gens s'enlisent dans l'affairement de leur propre esprit. Ils veulent se détendre, mais ils continuent à faire tourner des tas de choses dans leur tête, d'une façon obsessive et incontrôlable.

Alors, ce qui arrive lorsque vous vous mettez sur le « pilotage automatique » ou que vous devenez submergé par la vitesse avec laquelle votre esprit galope, c'est que vous êtes probablement devenu plus absorbé par vos propres pensées, vos sentiments et vos réactions que par ce qui se passe. Il se peut même que vous ayez développé une identité fondée sur ce que vous pensez et dites de vous-même, par exemple: « Je suis une personne si anxieuse », ou « Je suis une personne qui s'ennuie facilement », « Je suis (ceci)... », « Je suis (cela)... », « Je suis (n'importe quoi d'autre)... ! »

Pendant que cette introspection et cette identification se consolident, les fantômes du passé et les inquiétudes concernant l'avenir remplissent et perturbent le moment présent. Vous pouvez devenir troublé, perdu et même en guerre, ici, dans le moment présent. Très affolé. Probablement malheureux.

En apprenant à établir la pleine conscience, vous vous donnez une porte de sortie pour échapper aux forces habituelles de l'identification et à la lutte contre ce qui vous préoccupe présentement. Vous vous accordez un espace plus grand et plus ouvert à partir duquel vous vous reliez à toute expérience qui se vit ici, en ce moment.

Le moment présent est celui dans lequel on vit, celui dans lequel nos vies se déroulent. C'est le seul endroit où le changement et la transformation sont possibles. Quand vous êtes sur le « pilotage automatique », ou envahi et affolé par l'inquiétude ou les soucis, votre efficacité et votre disponibilité à vivre sont amoindries.

Ainsi, en apprenant comment apporter une attention sensible, une conscience réceptive et une ouverture bienveillante du cœur au moment présent, vous pouvez réellement briser la force de l'habitude qui vous pousse à vous identifier au passé et au futur, et changer votre relation à ce qui se passe sous et au-delà de votre épiderme.

C'est la raison pour laquelle la *première* minute de vos cinq bonnes minutes doit servir à établir la pleine conscience.

Quand vous pourrez prêter attention et devenir conscient de presque tout, il sera très utile d'avoir une méthode ou un exercice de pleine conscience auquel vous pourrez vous référer chaque fois que vous en aurez besoin. Dans ce livre, nous proposons la respiration consciente et l'écoute attentive comme les deux points d'ancrage pour cette pratique. Vous trouverez tout de suite après de courtes directives, faciles à suivre, pour chacune de ces pratiques. Sentez-vous libre de revoir ces directives chaque fois que vous le désirerez.

Directives pour la respiration consciente

Chaque fois que vous ressentirez le désir de pratiquer la respiration consciente, dites-vous que c'est précisément ce que vous allez faire. Dites à vous-même quelque chose comme: « Maintenant, je pratique la respiration consciente. » Souvenez-vous: vous pouvez la faire dans n'importe quelle posture — assis, étendu, debout ou en marchant.

En commençant, souvenez-vous qu'être conscient évoque une expérience d'ouverture et de réceptivité et non une tentative pour changer ce qui est. La pleine conscience s'obtient en maintenant une attitude de bienveillance, et non en étant malveillant à l'égard de quoi que ce soit qui survient dans votre conscience. Sans la juger ni tenter de changer quoi que ce soit la concernant, ne faites que laisser l'expérience sur laquelle vous êtes centré (dans ce cas-ci, les sensations de la respiration) venir à vous et séjourner en vous le temps qu'il faut.

S'il y a souffrance ou frustration, doute ou inquiétude, affrontez-les avec compassion, douceur et bienveillance, au lieu de les rejeter ou de les juger de quelque façon que ce soit, ou de vous critiquer vous-même.

1. Si cela vous aide, fermez les yeux doucement en commençant votre méditation.

2. Maintenant, portez votre attention avec douceur sur vos sensations de la respiration, les inspirations et les

expirations, telles qu'elles se présentent, changent et disparaissent dans votre corps. Laissez votre attention doucement encore se centrer sur l'endroit de votre corps où il est le plus facile pour vous d'éprouver la sensation immédiate procurée par votre respiration en mouvement. Ce peut être le bout de votre nez, votre bouche, votre poitrine, votre abdomen, ou une combinaison de ces derniers. Il peut s'avérer utile de restreindre votre centre d'attention à un endroit précis, une fois que vous avez trouvé la région du corps où suivre votre respiration.

3. Du mieux que vous le pouvez, détendez-vous et centrez votre attention sur l'endroit où vous sentez votre respiration. Commencez à observer les détails et nuances de chaque inspiration et de chaque expiration, et l'espace entre chacune. Détendez-vous et laissez les sensations venir à vous. Laissez chaque sensation rester aussi longtemps qu'elle en a besoin. Accueillez-la gentiment et permettez-lui « d'être » seulement. Il n'est pas nécessaire de la contrôler ni de la changer d'aucune façon.

4. Cela peut aider de vous rappeler que votre corps sait comment respirer. Laissez-le faire ce qu'il sait faire, tandis que vous prêtez attention au mouvement continu et varié des sensations respiratoires et que vous vous détendez en elles.

5. Quand votre attention se disperse ou quand votre esprit vagabonde, essayez de vous rappeler que vous n'avez rien fait de mal. Vous n'avez pas fait d'erreur. Il s'agit simplement de la manifestation d'un esprit qui manque d'entraînement. Notez où votre esprit est allé, et ramenez-le avec douceur aux sensations de cette respiration. Vous aurez probablement à ramener votre attention qui s'est égarée à plusieurs, plusieurs reprises. C'est correct. Chaque fois que vous ramenez votre attention égarée, vous l'entraînez à rester plus longtemps au même endroit.

6. Plutôt que de vous piéger vous-même dans une lutte acharnée contre votre attention qui s'égare, c'est-à-dire qui va et vient, qui passe des sensations respiratoires à d'autres expériences, il serait plus profitable de « laisser la respiration revenir » tout simplement quand vous voyez que votre attention n'est pas

centrée sur la respiration. En fait, vous n'avez pas grand-chose à faire pour rediriger votre attention — détendez-vous tout simplement et ouvrez-vous aux sensations de la respiration, les laissant revenir à vous et en vous.

7. Quand des pensées, des sons ou d'autres sensations surviennent, vous ne devez pas les combattre. Vous ne devez pas les suivre, non plus. Laissez-les « être ». Laissez-les s'en aller.

8. Continuez l'exercice avec une attention stable et bienveillante, centrée sur les sensations immédiates de votre respiration. Quand quelque chose d'autre attire votre attention, laissez les sensations respiratoires revenir avec douceur et bienveillance. En pratiquant, lâchez prise sur tous les autres soucis. Laissez-les tomber pendant votre séance de méditation. Reposez-vous dans le bien-être qui se manifeste, tout en fixant doucement votre attention sur le flot de sensations respiratoires et sur toute autre expérience qui peut aller et venir en vous. Reposez-vous dans toute sensation de silence ou de tranquillité ressentie.

9. Laissez la méditation vous apporter son soutien. Il n'y a pas d'autre endroit où se trouver, il n'y a rien d'autre à faire, il n'y a pas à devenir qui que ce soit d'autre pendant cette méditation.

10. Quand vous êtes prêt à terminer la séance de méditation, détournez votre attention des sensations respiratoires, ouvrez les yeux et bougez lentement.

Directives pour l'écoute attentive

1. Pour écouter attentivement, suivez les mêmes directives que pour la respiration consciente, sauf que vous vous centrez sur les sons, en vous et autour de vous, plutôt que sur vos sensations respiratoires.

2. Il n'est pas nécessaire de contrôler les sons, ni d'en choisir un plutôt qu'un autre. Ne faites que laisser tous les sons venir à vous, vous bercer comme des vagues qui vous pénètrent.

3. Prêtez une attention encore plus sensible, plus accueillante et plus bienveillante aux sons et à l'espace entre les sons. Notez les sons doux et les

sons forts, ceux qui sont agréables et ceux qui sont désagréables. Laissez-les tous « être » comme ils sont. Essayez d'accueillir chaque son, venant à vous à sa manière et à son rythme. Les laissant aussi partir à leur propre rythme.

4. Lorsque votre attention se fixe sur quelque chose d'autre que les sons, rappelez-vous que vous n'avez rien fait de mal. Vous n'avez pas fait d'erreur. Comme cela a été le cas avec la respiration consciente, ne faites que vous détendre et laisser les sons revenir. Laissez-les revenir aussi souvent que nécessaire, toujours avec bienveillance et patience, tant à leur égard qu'au vôtre.

5. En pratiquant, vous pourriez commencer à observer un sentiment de tranquillité intérieure, et le silence qui contient et entoure tous les sons. Le cas échéant, laissez-le demeurer en vous et reposez-vous en lui de plus en plus. Laissez les sons et tout ce que vous éprouvez circuler au travers de cette tranquillité et de ce silence.

6. Pendant que vous continuez à vous entraîner, votre pleine conscience se développant, devenant plus vive, vous commencerez à remarquer le tout début de certains sons, la façon dont ils se modifient et le moment précis où ils s'arrêtent. Vous commencerez à observer qu'il y a un espace avant et après le son. Jouez à être surpris et encore plus curieux de l'interaction entre les sons et les silences à mesure que vous devenez de plus en plus conscient.

7. Continuez l'exercice aussi longtemps que vous le désirez.

8. Quand vous êtes prêt à terminer l'exercice, détournez doucement votre centre d'attention des sons et des silences et bougez lentement.

Déterminer l'intention : s'assurer d'aller dans la bonne direction

Votre deuxième « bonne minute » des cinq bonnes minutes vous invite à déterminer une intention claire.

Par exemple : « Que cet exercice m'aide à me sentir plus détendu et moins stressé. »

En faisant une telle déclaration aussi simple à vous-même, au début d'une activité, vous vous aidez à centrer votre énergie et à vous engager plus totalement dans ce que vous êtes en train de faire.

Déterminer une intention est une façon de vous orienter dans une direction donnée. C'est une façon de cibler une valeur importante, un accomplissement ou un objectif.

Déterminer une intention peut se faire adroitement ou maladroitement. Par exemple, lorsque vous déterminez votre intention, ce n'est probablement pas si adroit ni si utile d'être rigide ou obstinément avide de résultats. Il est plus important d'être réaliste et bienveillant par rapport à vous-même et par rapport à la vie quand vous poursuivrez le but ciblé par votre intention. Par exemple, si votre intention est de vous sentir plus détendu et moins stressé, ne vous faites pas attraper en exigeant cent pour cent de résultat en seulement cinq minutes ! Et ne tombez pas dans le piège du jugement et du doute, ce qui peut augmenter votre stress.

Et ce n'est probablement pas très adroit non plus que votre intention devienne, peu importe à quel point elle est édifiante, un élément de plus sur votre liste des choses « à faire », c'est-à-dire une autre chose que vous devez réaliser à tout prix !

Une intention ressemble davantage à un guide amical. Utilisée adroitement, elle peut vous ouvrir à de nouvelles perspectives et vous mener vers de nouvelles découvertes.

Cela vous aidera si vous reconnaissez, dès le début, que les changements importants prennent du temps. En fait, votre intention (d'être plus détendu, par exemple) peut être considérée comme la direction vers laquelle vous choisissez d'aller. Quel que soit celui que vous utilisez pour devenir plus détendu, l'exercice sera le moyen pour prendre le chemin et marcher dans la direction que vous avez choisie.

Votre intention est un énoncé clair et explicite d'une valeur, d'un accomplissement ou d'un objectif qui est important pour vous dans votre vie. En déclarant votre intention, vous ouvrez la porte à un profond changement dans la poursuite de votre but.

Agir sans réserve : la clé pour obtenir le maximum de tout exercice

Agir sans réserve signifie faire quelque chose en y mettant toute votre attention et toute votre énergie. C'est un engagement total. Aucun doute. Aucune hésitation.

Le dernier élément de vos cinq bonnes minutes est de faire vos exercices sans réserve, de tout cœur. Plus particulièrement, cela veut dire faire entièrement tout ce que votre exercice indique. Si les directives exigent de rire fort ou de secouer votre corps, de prêter attention à votre vie intérieure ou aux mots prononcés par quelqu'un d'autre, faites-le avec autant de cœur que vous le pouvez.

Il se peut que vous ayez à vous entraîner à agir sans réserve, à expérimenter cette façon de faire. Pour différentes raisons, plusieurs de nos activités dans la vie ne sont pas faites avec une attention totale ni avec un engagement réel. Ainsi, en commençant à faire les exercices de ce livre, donnez-vous un peu d'espace pour vous développer et pour explorer les perspectives de chaque exercice. Et, pour soutenir l'action sans réserve, s'il vous plaît, souvenez-vous de ce qui suit :

Vous n'avez pas à faire tous les exercices.

Vous n'êtes pas obligé d'aimer tous les exercices.

Il n'est pas nécessaire de faire les exercices dans un ordre précis.

Détendez-vous et prenez-y du plaisir ! Les exercices sont de *votre* côté. Ils sont *là pour vous* !

Pour tirer profit au maximum de vos cinq bonnes minutes, il serait probablement avisé de parcourir les différents exercices et de commencer par ceux qui vous font vibrer, ceux qui vous semblent particulièrement attrayants, ou qui sont tout simplement indiqués pour une situation particulière qui se produit en ce moment dans votre vie.

Au fur et à mesure que vous devenez plus à l'aise dans des exercices en particulier et dans les principes des cinq bonnes minutes, vous verrez à quel point différents exercices correspondent à divers aspects et aux situations changeantes de votre vie.

En pratiquant les exercices, vous remarquerez probablement qu'il est plus facile d'agir sans réserve si vous laissez tomber toute attente de résultat. En réalité, plus vous renoncez à essayer de changer, plus vous maximisez vos chances de changer et de vous développer. C'est là un paradoxe qui se vérifie pour la plupart des exercices, sinon pour tous. Dans le domaine du changement, de la croissance et de la transformation, plus vous essayez d'atteindre quelque chose, plus cette chose s'éloigne. Plus vous vous détendez et vous ouvrez, plus les possibilités peuvent apparaître. Ainsi, renoncez à essayer de changer quoi que ce soit ou de faire en sorte que quelque chose de particulier se produise. Plongez et appréciez ce qui arrive en faisant vraiment les exercices.

Conclusion

Quelle que soit la nature de votre travail, vous serez probablement d'accord avec nous pour dire que, lorsque le travail va bien, c'est la joie; quand le travail va mal, c'est tout sauf la joie !

Et si la joie pouvait être plus grande ?

Et si les périodes difficiles pouvaient être affrontées différemment ?

Et si vous pouviez découvrir un sentiment nouveau et plus riche de lien et d'affection envers la vie alors que votre cheminement passe par votre milieu de travail ?

L'intention de ce livre est d'offrir amicalement à chaque personne qui travaille de nouvelles options, de nouveaux choix et de nouvelles possibilités dans leur travail, ce qui pourraient, en retour, enrichir et contribuer à leur unique et précieux cheminement à travers la vie.

En explorant *Cinq bonnes minutes au travail,* notre plus grand souhait est que vous y trouviez plus de joie, plus de bien-être, une santé et une sécurité améliorées, et une satisfaction plus grande.

Partie 2

Les exercices

Accomplir plus efficacement votre travail

1

on ne se baigne jamais deux fois dans le même fleuve!

Chaque moment recèle sa propre sagesse à découvrir.

Nous ne vivons que dans le moment présent. C'est maintenant et ici que tout arrive.

Quand vous réalisez que vous êtes en train de vous plaindre de votre « invariable boulot routinier », ou que vous vous sentez ennuyé ou coincé, maltraité ou plein de ressentiment, arrêtez-vous et essayez une démarche différente.

1. Respirez, écoutez ou bougez consciemment pendant environ une minute.

2. Déterminez votre intention. Par exemple: « Que cet exercice m'apporte de la sérénité et m'aide à me sentir plus vivant. »

3. Prêtez attention aux détails de ce que vous êtes en train de faire. Observez les sensations ressenties, les sons et les odeurs qui parviennent à vos sens.

4. Admettez vos pensées et vos sentiments, quels qu'ils soient, mesquins ou sévères. Si vous ressentez de la contrariété ou de la détresse, exercez-vous à être bon et patient envers ces sentiments et envers vous-même.

5. Rebranchez-vous sur votre boulot « routinier ». Observez les changements qui se sont produits depuis la dernière fois que vous l'avez fait. Remarquez également que vous ne pourrez jamais le refaire exactement de la même façon. *On ne se baigne jamais deux fois dans le même fleuve*, comme le dit le proverbe.

6. Comment votre vie s'écoule-t-elle dans votre lieu de travail, dans le travail que vous faites aujourd'hui? Est-ce que le fait de reconnaître un changement dans votre état vous aide à aimer la vie telle qu'elle est ici et maintenant?

2

secouer la torpeur du matin

Si vous n'avez pas passé une bonne nuit ou si vous avez passé une partie de la nuit à essayer de trouver la posture qui vous fera trouver le sommeil, la torpeur que vous ressentirez le matin peut vous donner l'impression que vous êtes diminué, déconcentré. Puisque vous ne pouvez probablement pas prendre congé pour rattraper le sommeil perdu, ce repos dont vous avez tant besoin, l'exercice suivant vous aidera à rétablir votre énergie.

1. Prenez d'abord un moment pour vous ancrer, en prenant trois respirations profondes, inspirant puis expirant l'air lentement et méthodiquement.

2. Une fois assis, fermez les yeux, si possible, et imaginez que vous faites un petit somme, qui a le pouvoir de vous redonner de l'énergie. Laissez votre esprit se détendre et votre corps devenir relâché.

3. Pendant votre petit somme, rappelez-vous votre plus belle nuit de sommeil. Tout est tranquille. La maison est silencieuse. Les enfants font de beaux rêves. Votre partenaire ne ronfle pas. À des kilomètres à la ronde, on n'entend aucun bruit. Au réveil, vous vous sentez prêt à assumer votre journée.

4. Dites à haute voix ou pour vous-même: « Quand j'ouvrirai les yeux, je me sentirai détendu et vivifié. Je me sentirai concentré et vigilant. Je serai prêt à entreprendre cette journée de travail avec une énergie nouvelle. »

Quand vous avez sommeil pendant votre journée de travail, refaites le plein d'énergie en faisant quelques petits sommes régénérateurs de cinq minutes.

3

actionner la sonnette de sécurité

Aborder une situation risquée ou une tâche difficile au travail requiert que vous y mettiez soin et attention. Que le risque soit physique, émotif ou psychologique, vous pouvez apprendre à actionner votre « sonnette de sécurité », et permettre à la pleine conscience de vous soutenir et de vous protéger.

1. Commencez calmement à observer les moments où vous sentez augmenter votre vigilance et votre inquiétude à l'approche d'une tâche ou d'une situation.

2. Imaginez qu'une sonnette de sécurité intérieure se déclenche pour signaler la situation, et que le bruit de cette sonnette est joli, clair et net.

3. Commencez à centrer minutieusement votre attention sur ce qui se passe en vous et autour de vous. Prenez quelques respirations conscientes pour stabiliser votre attention et vous apporter un peu de sérénité.

4. Affirmez-vous. Par exemple: « Prêter une attention plus détendue me protège et me soutient. »

5. Regardez de plus près, commencez le travail et permettez-vous de ressentir ce qui se passe. Au fur et à mesure que vous avancez, observez toutes les sensations et tous les sentiments tant intérieurs qu'extérieurs qui accompagnent ce travail. Laissez la respiration consciente vous soutenir, vous confortant dans une sensation de sérénité et d'amplitude.

6. Lorsque le travail est terminé, laissez la sonnette vous signaler que tout va bien.

4

trop de travail, pas assez de temps

Pour plusieurs d'entre nous, il n'y a tout simplement pas assez d'heures dans une journée pour accomplir tout ce qu'il y a à faire. Malgré des efforts inouïs pour voler d'une tâche à l'autre, le panier continue de se remplir, les messages vocaux se multiplient et des tâches imprévues s'ajoutent à la pile. Vous vous sentez embarrassé, las et angoissé par l'impossibilité de donner suite à ces demandes pressantes. Les quelques prochaines minutes seront consacrées à ramener votre conscience dans le moment présent, ce qui commence exactement là où vous en êtes. Cette méditation consciente vous aidera à vous garder sur les rails.

1. Commencez par vous centrer sur le ici et maintenant. Il se peut que vous désiriez prendre quelques respirations, ou rouler les épaules pour délier toute tension accablante.

2. Souvenez-vous qu'aujourd'hui n'est qu'un seul jour, que vous n'êtes qu'une seule personne, et que vous n'avez qu'un certain temps pour réaliser un si grand nombre de choses. Il est possible que vous n'arriviez pas à rattraper votre retard ou à tout réaliser en un seul jour — et c'est correct.

3. Prenez une dernière respiration profonde et, sur une expiration lente, dites à haute voix : « Je vais accomplir beaucoup de choses aujourd'hui. Demain est un autre jour. »

5

centre d'attention

Vous êtes-vous jamais senti en déroute ou « pas tout à fait là » au travail ? Vous arrive-t-il de faire des erreurs, de laisser tomber des choses, de vous sentir abattu, irritable ou déconcentré ?

Dès que vous observez de tels sentiments d'instabilité ou d'inattention, essayez l'exercice suivant pour recentrer votre attention et reprendre contact avec le moment présent.

1. Commencez par bouger de n'importe quelle façon, en prêtant une attention consciente à votre corps.

2. Bougez doucement et lentement pendant environ une minute, et centrez une attention consciente sur les caractéristiques aussi changeantes que variées de vos sensations physiques.

3. Élargissez votre centre d'attention pour y inclure les sensations de votre respiration; prenez quelques respirations conscientes.

4. Maintenant, intégrez toute pensée en observant son ton particulier. Vous n'avez pas à suivre ces pensées, ni à les nourrir ni à les combattre. Laissez-les « être », tout simplement.

5. Enfin, ouvrez-vous à tout ce qui se produit autour de vous: sons, odeurs, goûts, que vous accueillez en faisant de la place à chacun, avec douceur et bienveillance.

6. Quand vous le désirerez, ramenez votre centre d'intérêt sur votre travail. Comment vous sentez-vous?

6

une vision plus large

Que vous travailliez derrière un bureau ou à un comptoir de service, à l'extérieur ou au chevet des malades, il se peut que vous soyez accablé par les interruptions incessantes qui font échouer vos efforts pour rester centré sur le travail en cours. Le téléphone sonne, un client est mécontent ou vous égarez quelque chose, tout ce qui peut contribuer à diminuer votre productivité et à vous causer du stress. L'exercice suivant vous aidera à adoucir les effets de ces perturbations stressantes.

1. Tout d'abord, reconnaissez ce qui cause le stress — une échéance, une tension musculaire, une contrariété ou la peur de l'échec.

2. Dites à vous-même: « Ce n'est pas extrêmement grave. Je vais survivre. Ce moment va passer. »

3. Prenez une respiration lente et profonde, laissant votre ventre se gonfler lors des inspirations. Aux expirations, laissez vos yeux vagabonder à loisir sur toute la circonférence de votre environnement. Permettez à vos yeux d'intégrer tout ce qu'il y a autour de vous: table, architecture, art ou ciel.

4. En ce moment, devenez conscient qu'il y a plus d'une façon de voir une situation, peu importe à quel point celle que vous vivez peut, à l'instant, vous paraître terrible.

7

attention à votre posture

Si vous ne prêtez pas une attention suffisante ou constante à la posture de votre corps ou à votre condition physique, il peut en résulter des blessures causées par des mouvements brusques ou répétitifs.

Cet exercice peut vous aider à développer une plus grande vigilance à l'égard de votre corps, en vous incitant à travailler de façon plus sécuritaire et à viser une meilleure santé.

1. Respirez consciemment ou écoutez attentivement pendant environ une minute.

2. Déterminez votre intention. Par exemple: « Que je puisse aider et protéger mon corps en lui prêtant plus d'attention. »

3. Prêtez avec douceur une attention consciente aux sensations immédiates qui circulent à travers votre corps. Laissez-les « être ». Laissez chacune d'entre elles parvenir à votre conscience à son propre rythme. Maintenant, détendez-vous, assouplissez-vous et laissez-les entrer en vous.

4. Observez les attributs de chaque sensation: vibration, chaleur, contraction, palpitations, et ainsi de suite.

5. Permettez à votre corps de bouger ou de s'ajuster à sa guise tandis que vous observez et recevez avec douceur ces sensations.

6. Acceptez de faire tout étirement ou tout autre mouvement dont votre corps a besoin.

8

un acte d'équilibre personnel

Peu importe la profession que vous exercez, votre vie personnelle peut parfois vous distraire de votre travail en cours. Vous êtes peut-être préoccupé par votre enfant ou par la maladie d'un membre de votre famille, ou par un divorce récent. Personne n'échappe à ces préoccupations et, pourtant, dans le monde trépidant des affaires, peu d'entre nous peuvent s'offrir de laisser tomber leur emploi pour s'occuper adéquatement de leurs soucis personnels. Cependant, il n'y a pas de raisons pour lesquelles nous ne pourrions pas tout à la fois reconnaître notre vie personnelle et être présents à nos tâches professionnelles.

Essayez ce rituel intime afin de maintenir un équilibre sain entre vos deux mondes.

1. Tout d'abord, reconnaissez ce qui se passe dans votre vie en dehors du travail.

2. Prenez ce moment pour vous accorder le réconfort et la tendresse dont vous avez besoin. Dites à haute voix: « Je suis préoccupé par ________________. En ce moment, je ressens ____________________ ________________________. Viendra un moment où, finalement, je passerai à travers cela. »

3. Prenez une respiration apaisante. Rappelez-vous, tout au long de votre journée de travail, de bouger doucement, de ne pas vous malmener, et qu'il y aura du temps pour vous occuper de vos soucis personnels.

9

courage

Il arrive trop souvent qu'une situation de travail difficile ou qui représente un défi fasse surgir des sentiments de peur ou de manque de confiance en soi. De tels sentiments peuvent diminuer ou affecter votre capacité à travailler avec efficacité.

Le vrai courage, c'est de reconnaître la peur, de l'intégrer et d'agir efficacement, de toute manière.

Quand vous sentez que la peur ou le doute vous font dérailler, essayez l'exercice suivant.

1. Respirez consciemment ou écoutez attentivement pendant environ une minute.

2. Déterminez votre intention. Par exemple: « Que cet exercice me donne force et courage. »

3. Accueillez toute contrariété que vous pourriez ressentir. Nommez-la. Admettez-la. Respirez consciemment avec elle.

4. Imaginez que votre corps — extérieur et intérieur — est vaste et stable, comme une montagne.

5. La montagne résiste aux tempêtes, aux feux, à tout. Votre contrariété n'est qu'une tempête passagère à la montagne.

6. Si vous le voulez, répétez tranquillement des mots comme « courage », « stabilité » ou « inébranlable ».

7. Sentez la terre ferme sous vos pieds et la solide montagne qui est en vous.

10

lâcher prise

Lorsque vous êtes en colère ou frustré, vos pensées peuvent se déchaîner. Une pensée négative en amène une autre et une autre, menaçant ainsi de monter en flèche, hors contrôle, dans les zones les plus sombres du désespoir. Il est très difficile de se dégager de ces préoccupations déprimantes qui peuvent perturber votre concentration au travail. Une méditation consciente vous aidera à vous rebrancher sur ce qui est le plus important pour vous, et à vous recentrer sur le travail à faire.

1. Lorsque vous sentez que votre esprit tourne en rond, ressassant des pensées négatives, posez-vous la question suivante: « Est-ce que ces pensées sans fin

améliorent ma situation, m'aident-elles de quelque manière que ce soit? Est-il possible qu'il y ait d'autres façons de réfléchir à ma situation? »

2. Prenez un petit moment pour vous ancrer en regardant un objet de votre entourage qui vous invite au calme, comme une plante ou une photo à laquelle vous tenez. Maintenant, centrez votre attention sur votre respiration. Observez tranquillement vos inspirations et vos expirations.

3. Quand, durant la journée, votre attention erre de nouveau vers des idées négatives et malsaines, quittez ces pensées tout simplement et recentrez votre attention sur votre respiration et l'objet apaisant que vous regardiez.

11

vous n'aimez pas ce que vous faites?

Comme le dit un vieux dicton: *Si vous ne pouvez pas vous désengager, ralliez-vous!*

Quand vous vous battez intérieurement contre cette même activité que, justement, vous essayez d'accomplir, combien d'efforts sont-ils gaspillés en pure perte!

La prochaine fois que vous vous retrouverez en train de vous battre, essayez l'exercice suivant.

1. Respirez consciemment ou écoutez attentivement pendant environ une minute.

2. Déterminez votre intention. Par exemple : « Que cet exercice m'apporte plus de paix et de joie. »

3. Écoutez attentivement vos voix intérieures. Sont-elles fortes, en colère, craintives — comment sont-elles ? Souvenez-vous que vous n'avez pas à lutter contre elles, ni à les écouter.

4. Quand vous remarquez que naissent en vous des sentiments d'aversion ou de malveillance envers quoi que ce soit, nommez-les doucement.

5. Prenez quelques respirations conscientes supplémentaires. Imaginez que la malveillance sort de vous à chaque expiration.

6. Recentrez-vous sur votre travail. Y voyez-vous quelque chose de valable ? Pouvez-vous l'accomplir avec intérêt ?

12

appréciation : cinq étoiles

La plupart d'entre nous ont besoin de recevoir des marques de reconnaissance pour le travail accompli. Les formes les meilleures peuvent être une augmentation de salaire, une lettre de remerciements ou un compliment de la part de votre supérieur. Mais comment vous sentez-vous lorsque les autres n'apprécient pas votre travail ? Après un certain temps, cette perception peut être très décourageante et affecter votre estime de soi. Cet exercice va accroître la conscience que vous avez de votre propre valeur — car lorsque vous vous sentez bien, votre travail tend à s'améliorer.

- Prenez d'abord un moment pour reconnaître tout ce que vous faites au travail afin que tout fonctionne rondement. En fait, sans vous, ce pourrait être le chaos total — des téléphones qui sonnent sans arrêt, des télécopieurs en panne, des dossiers perdus, des clients qu'on ignore, et ainsi de suite.

- Fermez les yeux et souvenez-vous que l'appréciation commence à l'intérieur de soi. Prenez soin de faire votre éloge quotidiennement. Vous travaillez fort et vous avez de nombreux talents. Vous valez davantage que le montant écrit sur votre chèque de paie. Vous apportez, au travail, une importante contribution.

13

un regard nouveau

Il est facile de devenir inconscient et coupé de la réalité des gens et des choses qui nous entourent dans la vie de chaque jour, au travail et à la maison.

Il y a un prix à payer pour cette inattention et cette coupure, comme une perte de motivation, des sentiments d'ennui et même une négligence de ses responsabilités.

Essayez de vous motiver en voyant quelque chose de *nouveau* dans les situations quotidiennes.

1. Prenez n'importe quelle situation ou tâche qui se répète. La prochaine fois que vous devrez l'affronter, juste avant de vous y engager, fermez les yeux et

respirez consciemment ou écoutez attentivement pendant environ une minute.

2. Déterminez votre intention. Par exemple: « Que cet exercice m'aide à voir d'un regard nouveau. »

3. Respirez consciemment ou écoutez attentivement un peu plus longuement.

4. Envisagez la situation. Regardez-la avec intérêt et curiosité, comme si vous la voyiez pour la première fois.

5. Maintenant, regardez-la encore de plus près. Observez les objets, les gens, l'espace, l'activité.

6. Laissez la gentillesse et la curiosité vous soutenir. Que voyez-vous maintenant ?

14

évacuer la tension

Peu d'entre nous croient que leur espace de travail peut devenir un refuge pour méditer. Toutefois, même dans la réalité parfois trépidante du travail, vous pouvez trouver un espace paisible, tant à l'intérieur qu'à l'extérieur. Il est possible de faire le prochain exercice à votre bureau, dans le corridor ou même à l'extérieur.

1. En position debout, inspirez lentement et profondément à partir du diaphragme. Quand vous expirez, laissez votre mâchoire, votre langue, vos bras et vos épaules se détendre complètement. Sentez la lourdeur de votre corps entier, notamment le long de vos bras et de vos jambes, comme s'ils étaient des tuyaux de drainage vides.

2. À chaque inspiration, imaginez que des bouffées d'air frais poussent la tension dans ces tuyaux et qu'à chaque expiration, elles la propulsent jusqu'à la pointe de vos doigts et de vos orteils.

3. Secouez votre corps énergiquement en remuant vos épaules en tous sens et en balançant vos bras de long en large. Vous pouvez aussi secouer chaque jambe, une à la fois.

Quand vous voyez que votre niveau de tension va atteindre son maximum, prenez cinq minutes pour décompresser, défaire cette tension et l'évacuer en la secouant énergiquement.

15

vous sentez-vous bousculé ?

Un sage a dit un jour: « Soyez rapide mais ne vous pressez pas. »

Se sentir bousculé conduit à se presser. La précipitation constante peut engendrer des erreurs, des accidents et même de l'épuisement.

Essayez l'exercice suivant quand vous constatez que vous vous précipitez. Cela peut vous aider à devenir plus détendu — et plus rapide !

1. Chaque fois que vous vous sentez bousculé, arrêtez et respirez, écoutez ou bougez consciemment.

2. Affirmez-vous. Par exemple: « Je me rappelle que j'ai tout le soutien dont j'ai besoin. »

3. Centrez une attention consciente sur vos sensations respiratoires ou physiques pendant quelques respirations. Rebranchez-vous sur votre corps et permettez à toutes les sensations de se manifester.

4. Notez toute pensée ou tout bavardage dans votre esprit. Reconnaissez ce qui se passe dans votre tête, sans combattre et sans écouter.

5. Soyez présent consciemment à vos sensations respiratoires ou physiques pendant quelques respirations supplémentaires.

6. Rappelez-vous une source particulière de force personnelle ou de soutien, et répétez votre affirmation.

7. Retournez travailler d'un pas plus léger et avec un esprit revigoré.

16

faire une promenade

Le style de vie sédentaire d'aujourd'hui a pour conséquence que nous ne faisons pas assez d'exercice. Toutefois, même une courte promenade, à un rythme modéré, peut désamorcer votre stress refoulé, et vous rappeler que bouger recèle un pouvoir bienfaisant. Juste avant le repas de midi, accordez-vous d'aller dehors pour marcher, faire une promenade ou de la course à pied dans le voisinage. Cela vous fera du bien, ne serait-ce que pour l'air frais respiré.

- Pendant cette marche, prenez cinq minutes pour prendre conscience de la nature qui vous entoure : les oiseaux, les plantes, les insectes, le vent et les nuages. Même si vous travaillez au cœur d'une ville, le monde de la nature vous entoure.

- À chaque pas, vous prenez une distance par rapport à toutes vos obligations au travail et à votre stress. Vous laissez derrière vous l'accablement additionnel.

- À chaque respiration, remarquez le monde qui vous entoure : les gens, les lieux, les sculptures, les parcs.

- Quand vient le temps de rentrer, à chaque pas que vous faites en direction de votre lieu de travail, devenez de plus en plus conscient du pouvoir apaisant d'aller dehors.

17

votre apport réel

Vous demandez-vous parfois si votre travail a vraiment de l'importance ? Croyez-vous que votre travail n'est pas relié à votre vie personnelle ?

Eh bien, on est comme on est !

Essayez de voir *plus loin* avec l'exercice suivant.

1. Respirez, écoutez ou bougez consciemment pendant environ une minute.

2. Déterminez votre intention. Par exemple : « Que cet exercice suscite la joie en moi. »

3. Assoyez-vous, et respirez consciemment ou écoutez attentivement un peu plus longuement.

4. Réfléchissez à votre travail. Que faites-vous exactement ? Qui en profite ? Qui compte sur vous ? Examinez ces questions attentivement.

5. Prenez quelques respirations conscientes supplémentaires ou écoutez attentivement quelques minutes encore.

6. Posez-vous la question : « Qu'est-ce qui m'est le plus cher ? En quoi faire profiter les autres reflète-t-il mes valeurs profondes ? Où puis-je trouver cela dans mon travail ? »

7. Écoutez toutes vos réponses. Soyez étonné !

18

des pauses « pas du tout » santé

Un stress démesuré peut conduire à faire des choix alimentaires qui procurent une satisfaction immédiate, mais qui ne sont pas sains pour la santé, causant des brûlures d'estomac, des indigestions, voire de l'épuisement. La prochaine fois que vous prendrez conscience de votre désir d'engloutir une confiserie en barre ou un sac de croustilles dès que votre niveau de stress monte, essayez cet exercice qui vous aidera à faire des choix alimentaires qui sont bons pour votre santé.

1. Prenez un moment pour reconnaître que vous avez envie de manger ou que vous raffolez des sucreries. Sentez à quel point ces désirs tentent de vous persuader qu'une pause « pas du tout » santé vous aidera à vous sentir mieux.

2. Le stress peut avoir un effet défavorable sur votre capacité à prendre des décisions. Dites en vous-même : « Des choix alimentaires nutritifs vont réduire mon fardeau de stress et améliorer ma capacité à penser clairement. »

3. Imaginez que vous mangez un goûter santé, comme des pommes et des noix, du yaourt et des bleuets, des carottes et de la purée de pois chiches, ou du céleri et du beurre d'arachide. Imaginez à quel point votre corps se sentira bien après avoir mangé des aliments nourrissants et entiers.

Faites l'effort de choisir de bonnes collations ou d'apporter des goûters santé après votre travail, afin d'avoir toujours sous la main quelque chose qui soit à la fois nutritif et délicieux.

19

vous faites du bon travail !

Pour toutes sortes de raisons, les gens semblent programmés pour ne remarquer que ce qui va mal, que ce qui a été raté ou que les causes de leur échec.

Il est tout aussi important de savoir ce que vous avez fait de bien et d'en tirer de la satisfaction.

Essayez l'exercice suivant pour apprécier votre *bon* travail.

1. Choisissez un endroit tranquille et un moment pendant lequel vous ne serez pas dérangé.

2. Respirez consciemment ou écoutez attentivement pendant environ une minute.

3. Déterminez votre intention. Par exemple: « Que cet exercice me permette de voir le bon travail que j'accomplis. »

4. Respirez consciemment ou écoutez attentivement encore quelques fois.

5. Souvenez-vous d'un emploi, d'une tâche ou d'une situation au cours desquels vous avez réussi ou fait du bon travail. Reconnaissez votre participation. Voyez comment les autres ont bénéficié de votre bienveillance, de votre intelligence et de vos compétences particulières.

6. Ouvrez-vous et permettez-vous de savourer tout sentiment de satisfaction et de confiance.

7. Laissez les sensations agréables vous envahir et vous soutenir.

20

une question de cœur

Il n'y a rien de plus désagréable que de commencer votre matinée de travail avec une situation stressante reliée à votre vie personnelle qui s'agrippe à votre esprit. Si c'est le cas, l'exercice suivant va rétablir votre équilibre intérieur et ramènera votre calme, ce qui déclenchera le processus de guérison de ce qui vous fait souffrir.

1. Commencez en plaçant votre main sur votre cœur, dans le but d'en localiser les battements.

2. Quand votre rythme cardiaque a été trouvé, respirez lentement et consciemment à partir du ventre. Observez comment votre respiration peut affecter votre

rythme cardiaque. Quand nous sommes stressés, nous avons tendance à prendre des respirations courtes, peu profondes, remplissant inadéquatement nos poumons et notre corps de l'oxygène dont ils ont besoin.

3. Maintenant, respirez plus profondément et abondamment, en remplissant d'air votre cage thoracique. Comment votre rythme cardiaque s'est-il modifié? S'est-il ralenti?

Pendant les périodes de surmenage dans votre vie personnelle, il se peut que vous accumuliez des tensions, tant émotionnelles que physiques, dans votre cœur. En vous rebranchant sur les battements de votre cœur, vous pouvez évacuer la tension excessive et rétablir un sentiment de « centralité », c'est-à-dire de prise de conscience de soi à chaque moment présent.

21

clés pour une action efficace

Une personne qui a du succès sait que l'action efficace repose sur trois éléments-clés: clarté, simplicité et concentration.

Essayez l'exercice suivant qui peut contribuer à votre succès.

1. Respirez consciemment ou écoutez attentivement pendant environ une minute.

2. Déterminez votre intention. Par exemple: « Que cet exercice renforce mon efficacité. »

3. Prenez quelques respirations conscientes supplémentaires ou écoutez attentivement.

4. Concentrez-vous sur une tâche ou un projet.

5. Posez-vous d'abord cette question: « Quelle est la principale chose qu'on attend de moi ici ? » Écoutez avec curiosité tout ce qui se dira en vous. La réponse peut être très évidente.

6. Puis, demandez-vous: « Quelle est la façon la plus simple de faire ce qui m'est demandé ? » Écoutez sérieusement, en faisant confiance à votre guide intérieur et à votre sagesse.

7. Maintenant, répondez à la question suivante: « Par où dois-je commencer pour réussir ? » Soyez patient. Laissez la réponse venir à vous sans trop l'analyser, et commencez à agir.

8. Clarté, simplicité et concentration. Gardez sous la main ces clés du succès !

22

des vacances mentales

Quand avez-vous, la dernière fois, laissé votre esprit dériver vers l'inconnu ? La dernière fois que vous avez laissé votre regard se perdre dans l'espace ? Au travail, nous nous donnons rarement la permission de prendre des vacances mentales. Faisons-le maintenant.

- Mettez-vous à l'aise et fermez les yeux, si possible. Voici une occasion de ralentir, d'apaiser votre esprit, et de laisser derrière vous toutes ces questions urgentes, pressantes.

- Consciencieusement, détournez votre esprit de votre travail ou de vos obligations pour le diriger vers une oasis personnelle ou un endroit paradisiaque. Vous êtes libre de libérer votre esprit de toutes les pensées et sentiments qui le traversent; permettez-vous tout simplement « d'être ». Pour quelques minutes encore, ne faites que vous laisser aller dans votre oasis imaginaire.

- Pendant que vous dérivez mentalement plus loin vers cet endroit tranquille, imaginez que vous retournez à votre travail avec un sentiment de sérénité, qui ressemble à de petites gouttes d'eau qui s'accrochent toujours à votre peau.

23

sérénité

Avez-vous jamais souhaité pouvoir satisfaire aux exigences de votre travail avec plus de sérénité — du moins pour un petit moment? Est-ce que les choses iraient mieux si vous le pouviez?

La sérénité est associée à des sentiments de calme, de paix, de bien-être et de stabilité.

De tels sentiments peuvent être facilement à votre portée en prenant le temps de faire appel à votre imagination et de disposer d'une attention sans réserve.

1. Choisissez un endroit où il est possible d'avoir un peu d'intimité.

2. Respirez consciemment ou écoutez attentivement pendant environ une minute.

3. Déterminez votre intention. Par exemple: « Que cet exercice m'apporte du calme et de la stabilité. »

4. Imaginez que vous êtes dans une nature belle et sereine — une forêt tranquille, un pré en haute montagne, près d'un ruisseau qui coule doucement, ou dans tout autre endroit que vous aimez.

5. Laissez cet endroit serein commencer à imprégner tous vos sens. Que ressentez-vous? Qu'entendez-vous? Que voyez-vous? Que sentez-vous? Que goûtez-vous? Permettez-vous de tout absorber. Laissez la sérénité vous remplir et vous envelopper.

6. Restez là aussi longtemps que vous le désirez. Retournez-y chaque fois que vous le souhaitez. En retournant au travail, ramenez cette sérénité avec vous.

24

libérer les foyers de tension

Si vous souffrez occasionnellement de maux de tête, de douleurs aux genoux, de crampes ou de maux de dos, la douleur physique, où qu'elle se loge dans votre corps, peut vous rendre de mauvaise humeur et entraver votre niveau de productivité au travail. Vous pouvez vous sentir frustré et gêné dans l'accomplissement de la tâche la plus simple, ou vous pouvez constater que travailler avec d'autres personnes est pratiquement impossible. Les douleurs chroniques exacerbent le problème; vous pouvez alors vivre cette souffrance comme un boulet et une chaîne. Essayez cet étirement du haut du corps, afin de maintenir votre flexibilité et de donner à votre corps la chance de libérer ces foyers de tension accumulée.

1. En position debout, les jambes écartées à la largeur de vos épaules, respirez profondément et plusieurs fois à partir du ventre, permettant à la relaxation de circuler dans votre corps à chaque expiration.

2. Commencez maintenant à lever votre bras droit vers le haut, en cherchant à toucher au plafond et en laissant votre bras gauche pendre détendu le long de votre corps. Puis inclinez doucement le torse vers la gauche tout en maintenant bien droit le bras levé. Gardez cette position d'étirement pendant trente secondes et n'oubliez pas de respirer.

3. Détendez-vous, puis changez de côté, cherchant à toucher le plafond avec votre bras gauche et vous penchant vers la droite. Répétez cet exercice de trois à cinq fois de chaque côté, et fréquemment durant la journée, chaque fois que vous vous sentez endolori ou fatigué.

25

un siège pour vos émotions

Il y a des jours où, même si vous essayez fort de ne rien laisser paraître, vous sentez que vous tombez en ruine intérieurement. Vos émotions semblent se disperser comme un robinet qui coule. Tout déclenche un point sensible, et un rien vous met au bord des larmes. Plus vous refoulez vos sentiments, plus ils reviennent facilement à la surface. Au lieu de les combattre, prenez un peu de temps pour vous pencher sur le malaise.

- Commencez par admettre vos sentiments intérieurs de détresse. Vous êtes peut-être en train de vous débattre dans des problèmes personnels ou dans un dilemme relié à votre emploi, ou encore vous êtes affligé par le triste état de notre monde.

- Imaginez que vous tirez une autre chaise pour y asseoir le fardeau de votre tristesse. Offrez à vos émotions un siège et installez-les avec des oreillers ultralégers et un chaud jeté. Il se peut que vous ne puissiez pas remiser tous ces sentiments pénibles, mais vous pouvez créer un espace agréable et sûr pour les loger.

Plus vous serez délicat et conciliant avec vos émotions, plus elles s'apaiseront facilement, et plus vous en arriverez à vous sentir solide.

Réduire le stress au travail

26

demander du soutien

Au travail, le stress peut facilement provoquer des pensées et des sentiments perturbants.

Apprenez à faire face à ces pensées et à ces sentiments perturbants ou douloureux en réconfortant votre esprit et en ouvrant votre cœur, grâce à l'énergie de la gratitude et de l'amour.

1. Quand vous ressentez une sorte de perturbation ou de détresse intérieures, prêtez une attention consciente et empreinte de compassion à leur égard et envers vous-même.

2. Respirez consciemment pendant environ une minute.

3. Redirigez votre attention et commencez à nommer les choses, les gens ou les circonstances qui vous soutiennent et qui vous aident.

4. Laissez votre centre d'attention s'élargir au fur et à mesure que vous devenez de plus en plus précis. Par exemple : « J'ai de bons collègues », ou « Je peux obtenir l'information dont j'ai besoin », ou « J'ai une famille qui m'aime. »

5. Observez comment la gratitude et l'amour peuvent grandir en vous. Souvenez-vous de tous les soutiens dont vous bénéficiez. Laissez le rappel de vos bienfaiteurs et de vos forces éveiller en vous des sentiments de confiance et de bien-être. Accueillez l'énergie de la gratitude et la reconnaissance de vos appuis, et reposez-vous en elles.

6. Quand vous êtes prêt, revoyez la situation qui a causé la perturbation. Ouvrez-vous à toutes les nouvelles perceptions qui peuvent vous venir ou aux nouvelles compréhensions qui en émergent.

27

seul le changement est certain

L'instabilité dans l'emploi peut, à un certain moment, avoir une incidence sur nos vies. Durant la nuit, vous restez éveillé, inquiet d'être renvoyé vous aussi, vous rongeant les sangs pour savoir comment trouver un nouvel emploi. Avec le stress que vous causent déjà les paiements de l'hypothèque, de l'auto, des études universitaires de votre enfant et des sempiternelles factures, vous avez plus que votre part d'accablement à vivre. La visualisation suivante vous guidera pour vous rappeler qu'en dépit de ces facteurs stressants, l'optimisme peut être un outil puissant pendant les périodes d'incertitude.

- Prenez un court instant pour reconnaître que vous êtes exactement là où vous devez être et que vous faites précisément ce que vous êtes censé faire.

- Dites-vous: « Aujourd'hui, j'ai un travail et un revenu. Je vais faire du mieux que je peux aujourd'hui, mais je n'ai pas le contrôle sur ce qui se passera demain. » Dans la vie, il y a peu de choses qui garantissent certitude et permanence absolues.

- Après avoir pris plusieurs respirations profondes, imaginez-vous être à l'aise dans n'importe quel travail, que ce soit dans celui que vous avez maintenant, dans un emploi réorganisé, ou même dans un autre tout à fait différent. Imaginez que vous rencontrez des gens inconnus jusque-là, que vous vous sentez stimulé par de nouvelles tâches et ouvert aux nouvelles possibilités. Gardez cette image en tête durant toute votre journée de travail afin d'atténuer les sentiments désagréables d'instabilité qui pourraient surgir.

28

la ronde des maladies

Nous l'avons tous fait. Se traîner au travail même si on a des symptômes de grippe ou peut-être même si la pire crise connue d'allergie se manifeste. Vous êtes congestionné, vos muscles sont douloureux, vous êtes enrhumé, mais vous vous rendez quand même au travail. Vous ne pouvez tout simplement pas supporter l'idée de prendre plus de retard, et « on a besoin de vous », insistez-vous. Si vous avez de la chance, vous pourrez quitter au milieu de votre quart de travail et aller tout droit au lit. Mais si vous ne pouvez pas le faire? Si vous ne pouvez pas vous absenter du travail, ne serait-ce qu'une journée? Prenez cinq minutes pour être conscient de tous les moyens que vous pourriez prendre pour soulager votre indisposition. Voici quelques éléments pour vous rappeler d'être bon envers vous-même et de bouger lentement et prudemment quand vous êtes malade.

- Gardez une tasse de tisane aux herbes calmantes près de vous toute la journée.
- Allez prendre l'air et sentez les rayons du soleil sur votre visage.
- Donnez-vous la permission de vous asseoir, de vous mettre à l'aise, de fermer les yeux, et rappelez-vous que même quelques minutes de repos contribueront à préserver votre énergie.
- Régénérez votre corps avec des liquides, et évacuez ce microbe en prenant au moins huit à dix verres d'eau par jour.
- Si vous avez sous la main de la vitamine C ou des multivitamines, prenez-en.

Quand vous êtes malade, ralentissez votre rythme habituel. Soyez conscient quand il semble devenir frénétique et rappelez-vous fréquemment que vous pouvez demander de l'aide si vous en avez besoin.

29

secouer le stress

Votre esprit et votre corps sont intimement liés. C'est votre corps qui accumule et qui véhicule le stress et les tensions. Et il vous le laissera savoir !

Essayez l'exercice suivant pour le plaisir et pour réduire votre niveau de stress.

1. Quand vous vous sentez stressé, prenez un instant pour reconnaître avec bienveillance vos sensations de stress.

2. Maintenant, prenez quelques respirations conscientes.

3. Tournez votre attention vers votre corps. Mettez-vous à l'écoute des sensations qui circulent en vous. Observez particulièrement où les sensations semblent être les plus fortes ou les plus désagréables.

4. Que vous soyez debout, assis ou allongé, assurez-vous que vous êtes bien équilibré et bien appuyé. Puis, laissez votre corps commencer à bouger et secouez doucement tout endroit où le stress semble le plus pénible.

5. Étirez-vous, bougez et secouez-le !

6. Pendant que vous secouez le stress, vous pourriez avoir envie d'ajouter des sons amusants et étonnants aux mouvements. Souvenez-vous seulement de ne pas effrayer ou contrarier les gens qui sont à portée de voix.

7. Amusez-vous !

30

se libérer des « et si »

Êtes-vous quelqu'un qui vit dans l'univers des « et si » ? Et si cette demande d'emploi ne débouchait pas ? Et si mes ventes de ce mois n'atteignaient pas le quota exigé ? Et si ma commande arrivait en retard ? Plus vous tentez d'analyser toutes les variables possibles, plus les scénarios qui en résultent peuvent s'avérer désastreux. Vous devez ressentir une anxiété terrible, vous tourmentant à propos de tous les résultats négatifs imaginables. La prochaine fois que vous remarquerez que vous êtes en train de cascader sur les eaux écumeuses des « et si », essayez cette visualisation guidée.

- Fermez les yeux et rebranchez-vous sur le rythme de votre respiration. Prenez quelques respirations profondes, en relâchant votre corps à chaque expiration.

- Vous vous êtes déjà trouvé dans cette situation, pensez-vous, enterré sous tous les « et-si-ceci », « et-si-cela » possibles, et voir qu'il y a très peu de choses que vous pouvez finalement faire pour modifier le résultat. Répétez la phrase suivante : « Il est possible que je ne puisse pas avoir de contrôle sur le résultat, mais je peux travailler avec ce qui arrive à ce moment-ci. »

- Imaginez-vous dans les circonstances les plus favorables possible. Faites mentalement une liste de un à trois résultats optimaux, tels que : « Tout va bien aller », ou « C'est le mieux que je puisse faire et ça devra suffire. » La vie vous réserve parfois des surprises et vous êtes prêt à accueillir une situation positive.

Lâcher prise sur les résultats est un exercice qui prend du temps et de la patience, mais qui peut libérer votre esprit et le disposer à être davantage en contact avec le présent, en travaillant avec ce qui est juste là, devant vous maintenant.

31

la pause habituelle

La pause-café au travail peut être l'occasion de faire beaucoup de choses. Mais quelle que soit la chose que vous ferez, il est important de la faire de tout cœur, sans réserve, et que vous en tiriez le plus de plaisir possible !

L'exercice suivant vous invite à prendre du recul face à votre élan et à vos réactions inconscientes devant les exigences de votre travail, et à rétablir votre contact avec ce qui se passe dans le moment présent. Être plus présent peut faire en sorte que vous ayez vraiment du plaisir à prendre votre pause.

Utilisez ces habiletés de vous connecter chaque fois que vous en ressentirez le besoin !

1. En commençant votre pause, respirez ou bougez consciemment pendant environ une minute.

2. Déterminez votre intention. Par exemple: « Que je sois totalement présent et heureux durant cette activité. »

3. Quelle que soit la chose que vous ferez ensuite, centrez-vous consciemment sur un détail précis: la chaleur du café, les sons qui vous entourent, une vue particulièrement belle, par exemple.

4. Si une pensée ou un souvenir s'introduit en vous avec insistance, parlez-lui doucement. Assurez-lui que vous reviendrez plus tard et que vous en prendrez bien soin.

5. De retour à votre travail, apportez la même concentration claire et le même regard bienveillant à ce que vous faites.

32

oups!

Sous un stress extrême, même une erreur mineure peut vous ébranler et vous mener au bord du gouffre, et vous tentez alors de vous accrocher à ce qui vous reste de santé mentale. Certains jours, vous pourriez vous sentir tout à fait maladroit, gauche, laissant tomber des choses et perdant un temps précieux tout au long de la journée à cause de votre maladresse. Êtes-vous très dur envers vous-même quand vous faites une erreur? La prochaine fois que vous vous réprimanderez ou que vous vous punirez à la suite de votre erreur de jugement, faites cet exercice conscient pour apaiser vos nerfs à vif.

- Prenez pied en vous détendant au moyen de plusieurs respirations lentes et rythmées.

- Dites à haute voix ou pour vous-même : « Oups ! Je suis humain et je ne suis pas infaillible. Je fais des erreurs comme tout le monde. J'en accepte le caractère inéluctable. »

- Examinez de quelle façon vous pouvez vous pardonner et aller de l'avant malgré votre situation. Vous pourriez vouloir vous pardonner en écrivant, ou encore chercher à vous rassurer auprès d'un collègue ou d'un ami. C'est là une occasion pour vous de mettre de côté le blâme personnel et la punition, et de passer à travers votre journée de travail plus calmement et plus doucement.

33

combattre la procrastination

La procrastination — ou la tendance à tout remettre au lendemain — nous afflige tous. Pour certains d'entre nous, cela vient d'un manque de motivation, de trop de liberté ou d'un profond ennui. Mais d'autres fonctionnent mieux sous la pression: ils repoussent jusqu'à la dernière minute le moment de faire les travaux essentiels, ce qui veut souvent dire, en bout de ligne, se gaver de boissons énergisantes. Mais vous n'avez pas à subir les inconvénients de la procrastination, comme les oublis inconscients et les fréquentes erreurs commises et les retards inexcusables. Combattez la procrastination au moyen de ces suggestions d'action:

- Inscrivez des semaines à l'avance, dans votre agenda ou sur votre calendrier, les échéances critiques à venir.

- Ralliez d'autres collègues à l'idée de mettre la réalisation de leurs travaux au début de leur échéancier.

- Créez une liste de contrôle des petites tâches que vous pouvez commencer aujourd'hui, ce qui permettra de réduire, vers la fin, les méprises et les erreurs de calculs.

- Ouvrez un nouveau dossier pour votre liste de choses à faire. Nommez-le « À faire : URGENT » en gras et en rouge. Gardez ce dossier sur votre bureau et vérifiez votre liste deux fois par jour afin de vous rappeler le travail qui vous attend.

Les efforts que vous faites maintenant, avant l'échéance, réduiront le stress des dernières heures. Lorsque la procrastination menace de saboter l'efficacité et la pertinence de votre travail, restez attentif aux stratégies de préparation à l'avance.

34

un nouveau souffle

« Prenez une respiration profonde » reste toujours un bon conseil pour réduire le stress. Cet exercice vous invite à combiner la conscience du moment présent avec une imagerie rafraîchissante. Il serait très bon de pratiquer cet exercice dans un environnement naturel, en plein air; mais il peut tout aussi bien être fait dans le confort de votre bureau.

1. Mettez-vous à l'aise. Laissez votre ventre se relâcher et se détendre. Fermez les yeux doucement.

2. Respirez consciemment à quelques reprises, en vous ouvrant vraiment pour laisser les sensations se manifester.

3. Pour la suite de cet exercice, imaginez ou visualisez que chaque inspiration vous apporte une énergie nouvelle, fraîche et vivifiante. Représentez-vous cette énergie vitale remplissant votre corps tout entier.

4. Laissez chaque expiration emporter hors de vous le stress et la tension. Ressentez profondément le soulagement et le bien-être que vous apporte chaque expiration.

5. Laissez-vous porter sur les vagues des inspirations/expirations aussi longtemps et aussi profondément qu'il vous plaît.

6. Terminez l'exercice en ouvrant les yeux et en bougeant doucement.

35

parler franchement

Selon votre personnalité, votre tempérament, votre titre ou votre poste au travail, la nécessité de prendre la parole et de demander ce dont vous avez besoin peut représenter un obstacle difficile à franchir. Si vous avez à demander une augmentation de salaire à votre patron, ou à exiger davantage d'un de vos employés, parler franchement de vos besoins n'est pas aussi simple lorsque vous êtes timide, introverti ou avez une personnalité peu affirmée. Prenez ce moment pour améliorer votre capacité à affronter toute situation avec confiance en soi et assurance.

1. Commencez par examiner mentalement la liste de ce dont vous avez exactement besoin et pourquoi. Par exemple : « Depuis que j'occupe ce poste, mes tâches ont augmenté considérablement, et j'ai besoin d'un assistant afin d'accomplir mon travail plus efficacement. »

2. Imaginez que vous êtes en face de votre supérieur et que vous lui parlez d'un ton clair, calme et assuré, lui décrivant votre situation actuelle et lui proposant une solution. Vous avez l'air convaincant et compétent. Visualisez votre patron en train d'écouter vos demandes attentivement et ouvertement.

3. Le résultat, vous l'espérez, est positif et favorable; mais ce qui est encore plus important est que vous vous entraînez à puiser à même vos forces intérieures de persuasion pour arriver, enfin, à prendre la parole.

Parler de ce qui est important pour vous est une partie cruciale du processus de croire en vous-même et d'établir la confiance.

36

mieux vaut tard que jamais

Un de ces matins mouvementés et désordonnés, en consultant votre agenda, vous réalisez qu'une réunion d'employés avait lieu et qu'elle a débuté depuis tout juste vingt minutes. Être en retard à une réunion importante est humiliant et fait monter votre tension. Centrez-vous sur le soulagement de votre angoisse et sur le rétablissement de votre équilibre et de votre concentration.

1. Assurez-vous d'abord que vous avez tout ce qu'il faut pour vous sentir préparé à cette réunion — bloc-notes, stylos, chemises, dossier et ainsi de suite.

2. Prenez plusieurs respirations lentes et profondes. Pendant que vous inspirez par le nez, observez la sensation que vous procure l'air frais qui passe par vos narines. En expirant, remarquez la chaleur que vous laissez sortir.

3. Pendant les quelques moments qui suivent, faites une série de respirations et souriez à chaque expiration. Vous pourriez vous dire : « Je suis là où je dois être maintenant » ou « Je suis présent et je n'ai rien oublié. »

Même si votre journée doit se poursuivre à une vitesse folle, détournez votre attention du sentiment affreux que vous inspire votre retard pour la diriger vers votre capacité d'être présent, d'écouter et d'être préparé.

37

toute la vérité

Il est facile de vous perdre dans le flot de vos pensées et de tout ce qui vous trotte dans la tête, oubliant ainsi votre « complétude », de même que les possibilités de saisir le merveilleux et le mystère dans chaque instant.

Un chemin rapide pour retrouver votre « entièreté » est de prêter attention consciemment à ce qui se passe dans chacun de vos sens.

Pour le plaisir et la découverte, essayez l'exercice suivant.

1. Respirez consciemment ou écoutez attentivement pendant environ une minute.

2. Déterminez votre intention. Par exemple : « Que cet exercice m'aide à renouer avec ma "complétude". »

3. Laissez votre esprit et votre cœur s'adoucir et s'ouvrir autant que vous vous sentirez à l'aise de le faire.

4. Écoutez attentivement les sons.

5. Laissez pénétrer en vous toutes les sensations, les accueillant avec affection.

6. Ouvrez les yeux et observez les formes, les couleurs, le mouvement et l'espace qui vous entourent.

7. Si des pensées surviennent, ne les combattez pas et ne les suivez pas.

8. Détendez-vous dans tout sentiment de calme ou de plénitude que vous remarquerez.

38

votre île privée

Peu d'entre nous bénéficient du luxe d'un espace à soi au travail. Peut-être êtes-vous au service à la clientèle, occupé à prendre des appels toute la journée ? Ou vous partagez avec un collègue un espace de travail à cloisons très minces et sans porte ? Ou encore vous dirigez une centaine d'employés qui ont des exigences sans fin et qui exercent sur vous des pressions ? Pendant une telle journée de travail, bousculée et étourdissante, vous avez hâte d'avoir un petit moment de solitude. Comment pouvez-vous créer cette intimité souhaitée si vous êtes rarement seul ?

- Quelque part entre les appels téléphoniques et les délégations de pouvoir, éclipsez-vous pour prendre une pause de cinq minutes.

- Dessinez un cercle imaginaire autour de vous. Ce cercle trace le contour de l'île privée sur laquelle vous êtes seul. Dans ce cercle, personne ne peut entrer et personne ne peut rien exiger de vous, et personne ne peut perturber votre paix et votre harmonie intérieures. Vous entendez peut-être les bruits provenant de l'extérieur — autobus, autos, tondeuse à gazon, téléphones cellulaires — mais ces bruits ne vous concernent en rien.

- Gardez cette île imaginaire avec vous pour les moments où vous commencerez à vous sentir accablé par la pression incessante qu'entraîne l'obligation d'être toujours disponible pour les autres. Cette île est votre espace privé pour vous procurer un répit salutaire.

39

vous vous ennuyez?

Vous avez besoin d'une solution quand vous vous ennuyez ou quand vous êtes impatient? Essayez d'appliquer l'*attention bienveillante*.

Au travail, lorsque l'ennui vous visite, faites l'expérience suivante:

1. Respirez consciemment ou écoutez attentivement pendant environ une minute.
2. Déterminez votre intention. Par exemple: « Que cet exercice éveille en moi la joie et l'intérêt. »

3. Ouvrez-vous à tout sentiment d'impatience ou d'agitation intérieure et reconnaissez-le. Permettez-lui doucement « d'être », sans le combattre ni le nourrir.

4. Continuez à respirer consciemment ou à écouter attentivement.

5. Portez maintenant votre attention sur tout ce qui vous entoure. Regardez de près, écoutez attentivement, et laissez même les odeurs et les goûts entrer dans votre conscience.

6. Portez une attention plus marquée, particulièrement aux objets familiers, les choses ordinaires, comme si vous les voyiez pour la première fois de votre vie.

7. Que remarquez-vous ?

8. Quel effet cela produit-il de vous rebrancher ?

40

cesser de vérifier l'heure

Pourquoi les deux dernières heures de votre période de travail vous apparaissent-elles atrocement lentes, comme si le temps s'était arrêté ? S'il vous arrive de surveiller la grande aiguille de l'horloge ou de chercher vos clés d'auto une heure avant même d'avoir terminé vos tâches, essayez cet exercice qui vise à détourner votre esprit de la futilité de vérifier l'heure continuellement.

- Commencez par vous rebrancher sur le rythme de votre respiration : inspirez et expirez, inspirez et expirez. Êtes-vous détendu ? Prêtez attention à votre corps. Remarquez les pensées qui vous trottent dans la tête.

- En inspirant, dites à haute voix ou à vous-même : « Par cette respiration, je m'approche de ce moment dans le temps. »
- En expirant, dites à haute voix ou à vous-même : « Par cette respiration, je me distance de ce que l'avenir pourrait m'apporter ou non. »
- Mettez les tâches à faire en ordre de priorité, et évoquez la satisfaction que vous aurez d'avoir accompli quelques tâches de plus.

Rester occupé et centré sur vos tâches immédiates maximisera votre temps et vous procurera un sentiment d'accomplissement à la fin de votre période de travail.

41

ça n'a pas toujours été comme ça

Nous avons tous ressenti un jour que notre emploi nous tue, ou que notre satisfaction au travail est si intolérablement basse que nous ne sommes pas certains de pouvoir passer au travers d'une autre journée. Cet état s'appelle *burnout*, c'est-à-dire épuisement professionnel; il donne le sentiment de gravir une énorme montagne de mécontentement. La journée est interminablement longue et vous trouvez peu de plaisir à faire vos tâches habituelles, quelles qu'elles soient. Il est possible que vous ne puissiez pas changer d'emploi durant la nuit, mais vous pouvez essayer un simple exercice conscient, qui peut améliorer votre humeur et vous engager plus à fond dans votre boulot quotidien.

- Vous vous souvenez de vos débuts dans cet emploi ? Tout était nouveau et stimulant. Vous étiez en train d'acquérir des compétences exceptionnelles, et la formation représentait un défi. Vous appreniez une nouvelle méthode à intégrer dans le répertoire de vos compétences, et vous en sentiez les effets sur votre croissance intellectuelle et mentale.

- Prenez ce moment pour examiner de nouvelles avenues d'affirmation de soi. Faites une liste des possibilités d'acquérir de nouvelles compétences intéressantes pour vous, comme un cours de programmation informatique ou la mise sur pied d'un comité de recyclage ou devenir un expert en langue seconde.

Avec de la chance et une bonne proposition, il est possible que votre employeur assume les frais reliés à ce nouveau défi.

42

soyez un ami pour vous-même

Si on vous demande : « Quels sont vos meilleurs amis au travail ? », penseriez-vous à vous inclure ?

Il y a beaucoup à apprendre à se traiter soi-même comme un bon ami.

Cet exercice vous invite à explorer la façon d'être un ami pour vous-même.

1. Respirez consciemment ou écoutez attentivement pendant environ une minute.
2. Déterminez votre intention. Par exemple : « Avec cet exercice, je souhaite accroître ma tolérance et ma bonté envers moi-même. »

3. Éveillez votre attention et accueillez toute sensation physique.

4. Sentez la vie qui circule dans votre corps et imaginez que vous vous parlez de la même façon que vous le feriez à un bon ami — avec affection et bonté.

5. Utilisez un mot ou une phrase que toute personne apprécierait afin de vous souhaiter le meilleur. Par exemple : « Je souhaite être en sécurité... heureux... en santé... rempli de paix. »

6. En le formulant, mettez tout votre cœur dans ce souhait.

7. Remarquez et respectez tout ce que vous ressentez.

43

freinage assisté

La plupart d'entre nous sont extrêmement dépendants de l'électronique dans leur travail. Vous êtes peut-être obligé de porter sur vous un téléavertisseur ou d'avoir un téléphone cellulaire en tout temps, d'apporter votre ordinateur portable quand vous voyagez, ou de surveiller toute la journée l'application d'un programme interne de courriels de compagnie. Sans ces outils électroniques, vous ne pourriez tout simplement pas accomplir votre travail. Pensez à prendre cinq minutes pour faire une méditation silencieuse, loin de tout ce qui est électronique.

- Commencez l'exercice assis bien droit, détendu et vigilant. Laissez vos yeux ouverts en fixant légèrement et la paume de vos mains reposer doucement à plat sur vos cuisses. Détendez les muscles de votre visage et de votre mâchoire, laissant votre bouche légèrement ouverte. Respirez normalement et calmement.

- Être assis en silence vous dispose à vivre une expérience unique. Prêtez attention à la simple animation de votre environnement immédiat : le murmure des voix au loin, le vrombissement de la circulation automobile, les touches de couleur autour de vous, la chaleur subtile de vos mains sur vos cuisses. Pendant un instant, permettez à vos sens de s'éveiller et laissez votre expérience du moment se faire sans gêne et simplement.

44

respirer en force et en énergie

Vous arrive-t-il parfois de vous sentir complètement abattu et sans énergie ?

Si votre travail ne vous permet pas de bouger ou de prendre une pause afin de vous régénérer, essayez l'exercice suivant pour vous stimuler à nouveau.

1. Respirez consciemment ou écoutez attentivement pendant environ une minute.

2. Déterminez votre intention. Par exemple : « Que cet exercice me soutienne et me stimule. »

3. Respirez consciemment quelques fois encore.

4. Imaginez que chaque inspiration vous remplit de lumière. Cette lumière se répand dans vos muscles, dans votre esprit et dans votre cœur. À chaque respiration, sentez que vous devenez plus enthousiaste et plus fort. Si vous le désirez, répétez les mots « devenir plus fort » à chaque inspiration.

5. Continuez à respirer consciemment.

6. Observez comment chaque expiration peut vous faire sentir plus léger et plus serein. Essayez des mots comme : « plus léger, plus animé et plus énergique » à chaque expiration.

7. Respirez en force et en énergie aussi souvent que vous le désirez.

45

rétablir son rythme naturel

En proie à un stress extrême, vous avez tendance à retenir votre respiration. L'escalade des exigences au travail peut entraîner une respiration courte et gênée. Avoir des échéances urgentes et incessantes peut vous tenir anxieusement en haleine, ce qui entrave davantage le rythme naturel de votre respiration. L'exercice suivant vous aidera à remplacer votre stress en effervescence par de la paix et de la sérénité.

1. Notez les moments de votre journée de travail où la tension s'élève et où votre poitrine se serre. Remarquez les fois où votre respiration devient irrégulière ou celles où vous la retenez.

2. Pendant ces périodes de stress, exercez-vous à faire entrer et sortir plus d'air dans votre corps, pour ainsi l'aider à absorber plus d'oxygène. Trois longues respirations profondes jusque dans votre ventre seront efficaces.

3. Cessez les respirations du ventre et permettez à votre corps de respirer naturellement selon sa propre profondeur et à son propre rythme jusqu'à ce que vous sentiez le calme revenir.

4. Prêtez attention aux sensations que produit le rythme respiratoire naturel du corps. Vous sentez-vous moins anxieux ? Est-ce que vous ressentez un relâchement et une détente dans votre corps ?

46

quelqu'un a-t-il crié après vous ?

Si quelqu'un a « crié après vous » ou vous a dévalorisé au travail, vous *savez* que les gens peuvent être émotionnellement stupides !

Dû à un manque de compétences en relations humaines et de conscience de soi, de même qu'à un manque d'habiletés à gérer adroitement les sentiments et les relations, une personne impolie et insensible peut parler ou agir de façons blessantes.

Quand une grossièreté vous heurte, essayez l'exercice suivant.

1. Respirez, écoutez ou bougez consciemment pendant environ une minute.

2. Affirmez-vous. Par exemple: « Ce commentaire ne me concernait *pas*. Je sais que je suis correct. »

3. Prêtez une attention consciente et remplie de compassion à votre vie intérieure. Observez et accueillez les sensations, les sentiments et les pensées. Respirez consciemment et laissez-les « être », sans les combattre ni les nourrir.

4. Rappelez-vous une chose positive dans votre vie. Affirmez-la en disant peut-être: « Cette bonne chose *est* vraie. »

5. Ne vous sentez pas visé personnellement. Rappelez-vous qu'« il n'est pas nécessaire de pousser cette affaire plus loin ».

6. Respirez consciemment ou écoutez attentivement quelques fois encore.

7. Quand vous vous sentez prêt, offrez avec douceur le pardon à cette personne impolie et allez de l'avant.

47

relâcher la tension

Plusieurs emplois requièrent un effort de la partie supérieure du corps ou, à tout le moins, de l'endurance, que vous travailliez devant un ordinateur, dans une boutique de fleurs, ou que vous soyez affecté aux soins de personnes âgées. Vous pouvez ressentir tout d'abord un léger malaise au cou et aux épaules, qui sera suivi par des douleurs invalidantes plus intenses vers la fin de la journée. Réduisez votre inconfort radicalement en prenant de petites pauses fréquentes pour faire un exercice qui détendra votre cou et vos épaules.

- En position debout ou assise sur le bout de votre chaise, les jambes écartées à la largeur de vos épaules, le corps incliné en avant, légèrement plus à l'avant que vos genoux, laissez pendre vos bras relâchés le long de votre corps.

- Puis, relevez-vous et inclinez votre tête vers l'arrière, levez les yeux vers le plafond en regardant lentement aussi loin que possible vers l'arrière, où vous fixerez mentalement un point au plafond. Puis, petit à petit, ramenez votre cou vers votre poitrine. Allez-y doucement avec votre cou. Revenez à une position droite, mais bien détendue.

- Ensuite, relevez les deux épaules vers le haut en direction des lobes d'oreille en resserrant légèrement, puis, rapidement, relâchez le tout en laissant tomber vos bras relâchés le long de votre corps.

Répétez cet exercice de trois à cinq fois et observez jusqu'où votre cou peut s'étirer plus loin vers l'arrière. La portée du mouvement de votre cou renversé vers l'arrière a probablement augmenté.

48

halte routière

Votre directeur veut ce rapport terminé à la fin de la journée. Cela signifie sûrement faire des heures supplémentaires. Votre famille se plaint que vous passez beaucoup de temps au travail et que vous ratez les repas parce que vous rentrez tard. Vos amis pensent que vous les désertez. Vous oubliez de combler vos propres besoins. Trop de gens à satisfaire et si peu de temps pour le faire. Il est frustrant et presque impossible de jongler avec toutes ces exigences et obligations. Quand vous sombrez sous une liste de personnes à satisfaire, prenez quelques instants pour essayer cette méditation qui vous aidera à relâcher la tension nerveuse.

1. Imaginez que vous êtes sur une autoroute. Vous avez roulé sur la voie rapide si longtemps que vous avez oublié de prêter attention aux panneaux vous avertissant de ralentir. Ce serait un excellent moment pour prendre la prochaine sortie qui annonce une « halte routière ».

2. Prenez note de votre vitesse et imaginez que vous la réduisez en prenant la bretelle de sortie. C'est l'occasion idéale de tout ralentir dans votre tête.

3. À la halte routière, vous vous rangez dans un endroit plein d'arbres et d'ombre, bercé par une petite brise parfumée d'après-midi. Vous pouvez entendre le bourdonnement des autos qui se précipitent vers leur destination, mais cela ne vous concerne plus maintenant. Tout ce qui importe est seulement d'être ici, maintenant.

Soyez attentif aux moments où votre niveau d'énergie commence à s'emballer pour atteindre le fil d'arrivée, et prenez quelques instants pour vous arrêter à la prochaine aire de repos.

Travailler plus intelligemment et être compatissant envers les autres

49

entraîner les muscles de la bienveillance

La plupart des gens savent que les sentiments — la colère, le bonheur, la tristesse et la peur, par exemple — ne sont pas permanents. Ils viennent et ils repartent.

Ce que plusieurs ne réalisent pas cependant, c'est que de tels sentiments sont comme des muscles qui peuvent être renforcés par des exercices intentionnels ! Ainsi, rester en colère et faire mal ne font que raffermir ces sentiments.

Essayez de renforcer le sentiment de bienveillance dans votre vie plutôt que celui de la colère.

Cet exercice est un moyen facile d'entraîner vos « muscles » de la bienveillance.

1. Respirez consciemment pendant environ une minute.

2. Déterminez votre intention. Par exemple: « Que cet exercice éveille en moi de plus grands sentiments de bienveillance. »

3. Pensez à une personne avec laquelle vous travaillez. Imaginez que vous lui parlez directement avec une voix aimable. Vous pourriez dire quelque chose comme: « Je te souhaite d'être en paix et en sécurité. » Ou: « Je te souhaite d'être heureux et en santé. » Mettez-y du cœur et toute votre énergie.

4. Répétez doucement votre phrase ou vos mots dans votre cœur, encore et encore, comme une berceuse.

5. Essayez de vous parler à vous-même avec la même bienveillance.

50

encourager la coopération

Un cadre de travail où règne la concurrence favorise davantage l'individu que le groupe, davantage l'employé dans sa course vers le sommet que l'initiative d'une équipe pour aider chacun à réussir. Dans ce contexte, perpétuer un système d'inégalité peut représenter pour vous une pression énorme. Prenez quelques minutes pour insuffler à votre environnement de travail un sens de la coopération et de la collaboration, et ce, à l'aide d'une visualisation attentive.

1. Assoyez-vous dans un endroit confortable et fermez les yeux. Prenez ce moment pour apaiser votre esprit et pour vous débarrasser des pensées suscitées par les distractions venant de l'extérieur.

2. Imaginez que vous êtes assis autour d'une table de discussion, réunissant tous vos gestionnaires et tous vos collègues. On vous a désigné pour faire partie d'un comité chargé de conscientiser les employés sur la façon d'encourager une atmosphère plus centrée sur le sens de l'équipe. Tout le monde est invité à brasser des idées sur la façon de mettre les ressources en commun, de partager les idées et de s'entraider.

3. Imaginez qu'un courant de chaleur et de bienveillance se répand dans la pièce, insufflant à chaque personne présente le sens de la camaraderie. Reconnaissez le bonheur de participer à l'instauration d'un esprit d'entraide, en dépit d'un contexte de concurrence acharnée.

51

un rituel de soutien réciproque

Si vous travaillez avec votre conjoint, le fait de passer beaucoup de temps ensemble peut comporter des risques qui vous sont peut-être déjà familiers. Comment est-il possible de maintenir un lien de plus grande coopération mutuelle, qui favorise la croissance et la compréhension ? Essayez cet exercice ensemble, si possible.

1. Assis l'un en face de l'autre, les yeux fermés, vos genoux se touchant légèrement, observez chacun votre rythme respiratoire et son va-et-vient quand vous êtes assis tranquille. Ressentez l'endroit où il y a plus de va-et-vient : dans votre poitrine ou dans votre ventre ?

2. Dites à haute voix ou intérieurement : « Mon intention aujourd'hui est de travailler en coopération et de soutenir mon partenaire dans les décisions complexes qui nous attendent. »

3. Ouvrez les yeux et, tour à tour, dites à l'autre : « Quand nous avons des idées ou des solutions différentes, nous nous engageons à trouver un compromis dans l'espoir d'obtenir un résultat qui nous sera mutuellement bénéfique. »

Pour maîtriser cet exercice, cela prendra très certainement du temps. Mais cet exercice vous mènera tous les deux à ressentir davantage un sentiment de reconnaissance et de soutien réciproque.

52

accepter les éloges

Des habitudes d'inattention, d'affairement et d'autocritique peuvent concourir à briser votre lien avec les autres, y compris avec vos collègues, vos clients et vos patients.

Ces mêmes habitudes peuvent aussi diminuer la satisfaction personnelle que vous retirez de vos succès au travail.

Cet exercice vous invite à vous détendre un peu et à accepter les éloges pour un travail bien fait.

1. Quand quelqu'un commence à vous remercier ou à faire votre éloge pour un travail que vous avez fait,

arrêtez-vous et prenez quelques respirations conscientes, vous permettant de vous décontracter et de vous relaxer.

2. Tournez-vous vers la personne. Établissez un contact plus étroit avec elle. Regardez-la, entendez sa voix et écoutez ses mots.

3. Respirez consciemment pendant que vous communiquez et écoutez.

4. Notez toute réaction de votre part — contractions dans votre corps, pensées dans votre tête, tout sentiment de gêne ou d'embarras. Respirez et accueillez toutes ces manifestations.

5. Si vous le désirez, remerciez la personne. Faites lui savoir que vous êtes enchanté qu'elle soit satisfaite et heureuse.

6. Plus tard, dans l'intimité si vous le désirez, réfléchissez sur votre propre capacité d'être efficace et aidant, reconnaissant ainsi l'effet positif que vous avez sur les autres.

53

communiquer avec compassion

La communication est essentielle pour travailler avec les autres, que ce soit entre vous et votre supérieur, un collègue, un client de longue date ou occasionnel. Cultivez votre aptitude pour la bonne écoute en faisant l'exercice suivant.

1. Quand une conversation commence à s'envenimer ou devient confuse, résistez à la tentation — qui vous est familière — de vous mettre en colère ou de vous sentir frustré. Votre stress peut vous conduire à hausser le ton ou à adopter un ton désagréable, ce qui aide rarement qui que ce soit à se sentir compris.

2. Essayez plutôt, cette fois-ci, de stimuler consciemment votre côté compatissant ou l'aptitude d'écoute attentive et active en vous. Pour ce faire, il faut être patient et donner à l'autre personne un temps équitable et suffisant pour parler. Vous pouvez faire un signe de la tête ou poser des questions, mais faites de votre mieux pour ne pas l'interrompre.

3. Observez votre mode respiratoire et soyez conscient de chaque respiration qui vous ramène à un état de patience et de compréhension.

4. Répétez ce que vous croyez avoir entendu des propos de l'autre personne, ce qui lui fera savoir que vous l'écoutiez et que ses opinions vous importaient.

Le geste d'écouter avec compassion ne vient pas facilement la première fois et requiert de la pratique ; mais ses avantages stimuleront chez vous un sentiment renouvelé de camaraderie et de solidarité.

54

la réunion d'information météorologique

Pendant une réunion, vous est-il déjà arrivé de remarquer que votre esprit n'est *pas* au même endroit que votre corps ?

Votre corps peut vous envoyer des signaux disant qu'une tempête interne se prépare, détournant votre attention de ce qui se passe dans la pièce. Des sensations internes de malaise sont généralement en cause.

Un remède peut être aussi simple que de prêter une attention plus soutenue, et de prendre soin de soi intérieurement. Essayez l'exercice suivant pour votre propre bénéfice.

1. Lorsque vous remarquez que votre attention s'égare, apportez une pleine conscience à votre « température intérieure ».

2. Notez doucement et nommez ce que vous ressentez — « colère », « ennui », « doutes », par exemple.

3. Respirez consciemment tout en accueillant le sentiment et en lui donnant de l'espace.

4. Parlez-lui gentiment et sans détour. Par exemple: « Merci, doutes, je vous sens et je vous entends. Je capte votre message. » Respirez consciemment, en aménageant, sans malveillance, de l'espace pour ce sentiment. Parlez encore à votre sentiment si nécessaire, mais avec bienveillance.

5. Après quelques respirations, tout en vous appliquant à prendre soin de vous intérieurement, recentrez doucement votre attention sur la personne qui parle.

6. Avivez votre curiosité à propos de l'orateur. Pratiquez le respect et la courtoisie que vous aimeriez qu'on vous manifeste.

55

fixer des limites

Il n'y a rien de plus agaçant qu'un collègue qui prend avantage de votre accueil et de votre esprit dynamique. Ce genre de personne est toujours en quête de faveurs personnelles: « Si vous sortez, allez-vous m'apporter quelque chose à manger? » ou « Puisque vous partez, pouvez-vous me prendre des piles en même temps? » Et si vous acceptez avec amabilité suffisamment de fois, la situation se répétera indéfiniment. Puisque vous ne pouvez pas changer votre collègue, vous pouvez seulement modifier votre comportement. Cette visualisation guidée vous aidera à devenir plus conscient des limites à établir qui sont saines pour vous.

1. Commencez par imaginer votre collègue qui vous demande encore une faveur.

2. Sur le coup, vous vous sentez peut-être irrité et contrarié, alors respirez dans vos sentiments et écoutez-les en inspirant.

3. En expirant, expulsez la tension et l'amertume, et dites à haute voix: « Je me donne la permission de dire non. Dire non ne fait pas de moi une personne mesquine. Quand je dis non, je m'aide à fixer des limites pour me protéger. »

L'exercice, qui consiste à établir les limites appropriées, contribuera à réduire le ressentiment qui peut s'accumuler avec le temps envers ce collègue.

56

apprécier davantage les autres

Travailler avec une plus grande intelligence émotionnelle inclut de gérer ses propres sentiments de contrariété et de comprendre les comportements difficiles des autres.

Une meilleure compréhension de la souffrance des autres peut vous aider à gérer tout sentiment réactionnel qui survient quand quelqu'un est impoli ou blessant envers vous, vous permettant ainsi d'éviter de vous sentir personnellement concerné.

Une appréciation accrue de l'autre peut aussi se développer en regardant de plus près les causes de la souffrance de cette personne.

1. Respirez, écoutez ou bougez consciemment pendant environ une minute.

2. Déterminez votre intention. Par exemple: « Que cet exercice m'aide à entretenir de meilleures relations avec mes collègues. »

3. Respirez consciemment à quelques reprises encore.

4. Pensez à un collègue difficile.

5. En respirant consciemment, cherchez bien et voyez les causes de sa souffrance, les difficultés et les obstacles que cette personne doit affronter.

6. Maintenant, voyez le bien que fait cette personne, en dépit de la souffrance et des défis.

7. Ouvrez-vous aussi profondément que possible à vos propres réactions, pendant que vous réfléchissez.

8. Respectez toute ligne de conduite que vous inspire cet exercice.

57

rien de personnel, vraiment

Une critique de la part de votre patron ou de votre supérieur est la « normale du parcours ». Quelques-uns d'entre nous gèrent cela mieux que d'autres. La critique constructive sert un but important en ce qu'elle nous permet de nous améliorer — si nous écoutons et si nous en tenons compte. Un conseil utile peut réduire les accidents, augmenter la productivité et même sauver des vies. Mettre en pratique une critique concrète exige de prêter une attention consciente à nos vieilles habitudes familières.

- Quand on vous adresse un conseil utile, faites de votre mieux pour reconnaître d'abord que le fait d'acquérir une connaissance nouvelle présente des avantages.

- Assoyez-vous pour prendre un petit moment tranquille, et réfléchissez sur la façon dont ces avantages pourraient améliorer et augmenter votre capacité d'apprendre et de grandir.

- En inspirant, respirez dans ces améliorations et dans la satisfaction que ces dernières vous procurent. Et en expirant, lâchez prise sur votre ego, votre côté « sur la défensive », ou vos sentiments d'avoir été blessé.

Donnez-vous du temps pour intégrer petit à petit ce nouveau protocole ou cette nouvelle information à votre journée de travail.

58

que votre bonheur soit à jamais !

Une façon merveilleuse de réjouir votre esprit et de réchauffer votre cœur est d'entrer profondément en lien avec la joie et le bonheur d'une autre personne.

Pour la découverte et le plaisir, essayez l'exercice suivant.

1. Respirez consciemment ou écoutez attentivement pendant environ une minute.
2. Déterminez votre intention. Par exemple : « Que cet exercice m'apporte joie et amitié. »

3. Respirez consciemment ou écoutez attentivement à quelques reprises encore.

4. Centrez-vous sur quelqu'un, un ami ou un collègue, qui a vécu un grand bonheur — peut-être est-il allé en vacances, a-t-il eu un bébé, s'est-il marié, a-t-il gagné un trophée ou obtenu une promotion.

5. Ouvrez-vous à sa joie et à son bien-être. Souvenez-vous à quel point il est heureux, ce qu'il dégage extérieurement.

6. Imaginez que vous lui parlez, que vous lui souhaitez même plus de bonheur encore. En lui disant, par exemple: « Que ta joie et ton bonheur soient à jamais ! » Répétez votre souhait mentalement plusieurs fois.

7. Laissez sa joie vous remplir et vous réconforter.

59

faire du mieux qu'on peut

Nous avons tous travaillé avec quelqu'un qui n'assumait pas, pour quelque raison, sa part de la charge collective de travail. Il se peut que cette personne n'ait jamais maîtrisé l'art subtil de s'affairer à plusieurs tâches, ou qu'elle ait une attitude plus relâchée en ce qui concerne son implication sérieuse dans le boulot quotidien. Il y a des gens qui n'apprennent jamais à être des joueurs d'équipe. Malheureusement, si un collègue ne fait pas sa part de la charge collective de travail, cela peut retomber sur vos épaules et ajouter une pression supplémentaire à la quantité déjà énorme de tâches sur votre liste.

L'exercice suivant va vous aider à devenir plus conscient qu'il faut faire de son mieux, mais en ne laissant pas le faible rendement d'une autre personne ternir votre réputation de travailleur de haute qualité.

- La prochaine fois que vous êtes confronté à ce genre de problème, prenez ce moment pour reconnaître la différence qui existe entre les attentes de vos collègues et les vôtres. Posez-vous ces questions : « Est-il juste d'avoir les mêmes attentes envers tout le monde ? Êtes-vous responsable du niveau de rendement de vos collègues ? »

- Prenez quelques instants pour inspirer vos sentiments de frustration ou de ressentiment, et poursuivez en expirant et en libérant votre désir de changer cette personne. Dites-vous intérieurement : « Les gens travaillent à un rythme différent et ils font du mieux qu'ils peuvent. »

60

qui est au-dessus, qui est en dessous

Que vous racontez-vous intérieurement concernant les personnes qui ont un poste « au-dessus » de vous, ou « en dessous » de vous ?

Lorsque vous travaillez ensemble, ce que vous vous imaginez à leur sujet crée-t-il une impression de distance ou, au contraire, de lien ?

Ce que vous vous racontez à propos des personnes qui sont au-dessus ou en dessous de vous affecte-t-il ce que vous ressentez à propos de vous-même ?

Essayez l'exercice suivant pour mieux comprendre ce que vous vous racontez.

1. Respirez consciemment ou écoutez attentivement pendant environ une minute.

2. Déterminez votre intention. Par exemple: « Que cet exercice me rende plus disponible et plus compréhensif. »

3. Pensez à quelqu'un qui occupe un poste plus élevé que le vôtre. Demandez-vous: « Qu'est-ce que je me raconte à propos de cette personne? » Écoutez sans juger toute réponse qui vous vient.

4. Faites la même chose pour une personne qui occupe un poste moins élevé que le vôtre. Écoutez attentivement la réponse, sans juger, sans vous défendre ou sans argumenter.

5. Laissez ce que vous découvrirez vous guider avec sagesse.

61

protection émotionnelle

Nous connaissons tous la différence entre une critique constructive et une insulte personnelle. Toutefois, que pouvez-vous faire quand un collègue vous insulte verbalement? Votre première réaction peut être de la colère, de la déception ou de la peine. Des injures qui s'adressent à vous personnellement peuvent saper votre confiance en vous-même, si vous les laissez faire, et diminuer votre sentiment de réussite personnelle. Suivez ce rituel afin de protéger vos sentiments de l'agression des autres.

1. La prochaine fois qu'un collègue ou que votre supérieur est impoli ou dit quelque chose qui vous blesse, prenez cinq minutes pour prendre soin de vos sentiments avec compassion.

2. Interrogez-vous : « De quoi ai-je besoin pour me sentir approuvé et compris ? Comment puis-je le mieux protéger mes sentiments contre d'éventuelles blessures et réussir à oublier ? » Il se peut que vous choisissiez d'appeler un ami ou d'écrire à ce sujet dans votre journal intime ou sur une tablette de papier.

3. Examinez avec compassion les facteurs qui peuvent avoir conduit cette personne à réagir d'une façon aussi émotionnellement grossière. Cette personne a peut-être des contraintes dans sa vie personnelle, des problèmes de santé ou des problèmes particuliers qui lui imposent des limites.

Prenez ce moment pour trouver le réconfort et la protection dont vous avez besoin, pour vous aider à vous débarrasser de ce sentiment négatif.

62

vous avez de l'importance!

Vous sentez-vous parfois seul, tenu à l'écart, inefficace ou inutile dans le rôle que vous avez à jouer au travail?

Si tel n'était pas le cas, vous seriez une personne peu commune!

Quand vous sentez que ces sentiments vous envahissent, faites l'exercice suivant qui peut vous offrir du soulagement. Essayez-le, même si vous n'en avez pas besoin.

1. Respirez consciemment ou écoutez attentivement pendant environ une minute.

2. Déterminez votre intention. Par exemple: « Que cet exercice me soutienne et m'inspire. »

3. Respirez consciemment ou écoutez attentivement quelques fois encore.

4. Pensez à quelqu'un que vous avez aidé ou dont vous vous êtes occupé aujourd'hui. Regardez de plus près. Voyez combien ces personnes ont tiré profit de vos services.

5. Tournez votre attention vers un collègue. Regardez attentivement. Remarquez de quelle façon il compte sur vous en tant que membre de l'équipe.

6. Respirez consciemment ou écoutez attentivement quelques fois encore.

7. Appréciez la valeur que vous ajoutez dans la vie des autres.

8. Laissez votre cœur se remplir de satisfaction et de bien-être.

63

garder la tête froide

Avez-vous jamais vécu une de ces journées tant redoutées au cours de laquelle vous avez « aboyé » un ordre comme un sergent instructeur ou vous vous êtes mis en colère contre un compagnon de travail ? Il se peut que vous vous soyez senti coupable de les avoir entraînés dans votre journée si négativement chargée. Lorsque vous vous sentez comme si vous alliez faire sauter un piston émotionnel, comment pouvez-vous garder votre sang-froid et ne pas vous en prendre aux autres ?

L'exercice qui suit vous guidera afin d'exprimer votre colère et votre frustration de façon plus apaisante.

- Saisissez cette occasion pour reconnaître ce que vous ressentez vraiment intérieurement, comme de la déception, de la peur, du ressentiment ou de la contrariété. Posez-vous cette question: « Qu'est-ce qui m'a amené, en premier lieu, à ressentir cette colère et cette irritation ? »

- Examinez ce que vous pourriez faire pour être plus bienveillant et plus doux envers vous-même, étant donné ces circonstances. Faites une brève liste mentale de choses à faire afin de prendre soin de vous, y compris des choses comme aller faire une promenade, écrire dans votre journal intime, appeler votre thérapeute ou vous inscrire comme membre dans un gymnase.

Trouver des exutoires sains à votre colère diminuera ces emportements émotifs et fera en sorte que vous vous sentiez plus en contrôle de votre humeur.

64

« en garde, capitaine! »

Il se peut qu'une remarque mesquine ou qu'une personne antipathique vous fasse sentir bouleversé ou inquiet.

Parfois, vous pouvez voir venir la menace, comme ceci: « Voilà untel, toujours aussi négatif! » À d'autres moments, vous êtes piégé par la mesquinerie.

Apprendre à vous protéger contre la mesquinerie est une des nombreuses façons de la gérer. Essayez l'exercice suivant quand vous aurez besoin de lever votre bouclier de protection.

1. Quand vous sentez venir ou détectez de la grossièreté ou de la mesquinerie, fixez immédiatement votre attention en respirant, en écoutant ou en bougeant consciemment.

2. Offrez-vous une affirmation comme: « Je sais que je suis bien protégé. »

3. Maintenant, visualisez un champ de lumière blanche protectrice vous entourant instantanément. La lumière accueille toute communication utile, mais bloque toute énergie blessante ou épuisante.

4. Signalez à vous-même que votre « bouclier de lumière » est en place, en disant quelque chose comme: « En garde, capitaine ! »

5. Abaissez votre bouclier protecteur quand la menace est passée.

65

comme tu fais, on fera

Certains d'entre nous ont le malheur de travailler dans un environnement hostile ou même avilissant. Il se peut que vous ayez à supporter des compagnons de travail impolis ou des ragots blessants, racontés dans le coin-repas du bureau. Vous pourriez vous sentir exclu du cadre social ou incapable de développer des amitiés sérieuses. Ce genre de situations de travail décevantes sont suffisantes pour porter atteinte à votre optimisme, habituellement inaltérable. Il se peut que vous ne puissiez pas quitter votre emploi ni changer les gens que vous côtoyez au travail, il faut donc essayer autre chose. Tout est dans l'attitude. Votre attitude personnelle a le potentiel de traduire les propos aimables que vous recherchez dans votre lieu de travail. (*Comme tu fais, on fera,* dit le proverbe.)

1. Imaginez que vous êtes le miroir de la gentillesse intrinsèque qui est en chacun de nous. Lorsque vous souriez, les autres pourraient tout simplement vous sourire en retour. Quand vous faites un compliment à quelqu'un, il devrait en faire un au suivant.

2. La gentillesse commence de l'intérieur, en prenant d'abord soin de vos besoins, puis en aidant les autres. À chaque acte de gentillesse, vous créez la possibilité de déclencher des réactions en chaîne qui se propageront rapidement et qui pourront produire des résultats très positifs.

66

vrai, et non parfait

Porter des jugements méprisants, que ce soit consciemment ou non, peut alimenter des sentiments de colère, des comportements impolis et de la mesquinerie pure et simple envers les autres.

Si vous vous sentez critique ou en colère envers quelqu'un, essayez l'exercice suivant.

1. Respirez consciemment ou écoutez attentivement pendant environ une minute.

2. Déterminez votre intention. Par exemple: « Que cet exercice m'apporte du bien-être et de la tolérance. »

3. Respirez consciemment à quelques reprises encore.

4. Pensez à quelqu'un de votre milieu de travail qui vous importune. En réfléchissant, ouvrez-vous à tous les sentiments que vous ressentez envers cette personne et à toutes les pensées qu'elle suscite en vous, et accueillez-les. N'alimentez pas ces sentiments et ne combattez pas ces pensées. Ne faites que les remarquer.

5. Interrogez-vous: « Quelle est mon histoire avec cette personne qui me cause tant de souffrance ? » Écoutez les réponses.

6. Demandez-vous: « Cette histoire elle-elle réellement vraie ? » Prêtez attention à votre réponse.

7. Interrogez-vous: « Et si ce n'était pas vrai ? Comment serait cette personne, alors ? »

8. Examinez les différences qu'il y a entre être vrai et être parfait.

67

des hauts et des bas

Le stress a tendance à s'accumuler à la fin d'une longue et dure journée. Vous vivez peut-être une tension dévastatrice dans votre corps, qui vous met de très mauvaise humeur. C'est là un terrain fertile pour fustiger d'innocents collègues ou pour vous mettre facilement en rogne contre eux. Quand vous sentez ce genre de colère refoulée dans votre environnement de travail, essayez cet exercice de relâchement du stress, et invitez vos collègues à le faire avec vous.

1. D'une position assise, levez-vous et assoyez-vous deux ou trois fois. Pendant que vous procédez, surveillez ce qui se passe avec vos orteils. Est-ce que vous retroussez vos orteils vers le haut quand vous

êtes debout ou si vous les pointez vers le bas, comme pour les agripper au sol ? Des études démontrent que les personnes dont les orteils pointent vers le haut tendent à éprouver davantage d'inconfort au cou et dans les épaules que les autres.

2. Après avoir observé ce qui se passe avec vos orteils, faites cet exercice encore deux ou trois fois, en gardant vos orteils et la plante de vos pieds entièrement en contact avec le sol. Il se peut que vous ayez à vous pencher légèrement au niveau des hanches pour exécuter cet exercice.

3. Chaque fois que vous vous levez, entraînez-vous à vous lever, vous asseoir, vous lever, vous asseoir, en enracinant bien vos pieds et vos orteils dans le sol.

68

faire le drôle!

Qui rit au travail ? Est-il possible de répandre du plaisir et des rires dans votre boulot quotidien ? Les rires et une attitude positive peuvent réduire la pression artérielle, améliorer le système immunitaire et réduire les douleurs physiques. Améliorez votre santé et allégez l'atmosphère au bureau avec une certaine dose de rires. Prenez ce moment pour vraiment faire le drôle. Vous avez bien compris : si vous commencez à faire le drôle, tout le monde autour de vous se ralliera, et il y a de bonnes chances pour que vous dissipiez ainsi le stress accumulé. Voici quelques suggestions.

- Faites une petite danse ou mimez une démarche absurde devant un compagnon de travail de confiance.

- Envoyez par courriel une blague amusante, si cela est permis.

- Racontez à quelqu'un une histoire loufoque ou embarrassante pendant votre pause.

- Portez un vêtement ou un accessoire ridicule au travail.

Soyez ridicule, soyez follement créatif — faites le drôle ! Le rire est contagieux. Donnez-vous pour objectif aujourd'hui d'amener les autres à rire sottement. Il y a dans la vie trop de moments sérieux au travers desquels la marche est pénible. Donnez-vous aujourd'hui la permission de dérider votre milieu de travail avec quelques gloussements salutaires.

69

une conversation plus profonde

Une présence entière et une attention totale sont les cadeaux les plus précieux que vous pouvez offrir à une autre personne.

La pleine conscience peut vous aider à être plus présent et plus attentif avec vos amis, vos collègues et les autres personnes de votre lieu de travail.

Essayez l'exercice suivant et voyez ce qui arrive !

1. Quand vous conversez avec quelqu'un, face à face ou électroniquement, respirez consciemment à quelques reprises pendant que vous écoutez. *Ne tentez pas de faire autre chose que d'écouter.*

2. Intégrez l'autre personne de plus en plus consciemment tandis que vous fixez votre attention au moyen de la respiration consciente.

3. Si cela est possible, regardez de plus près votre interlocuteur. Écoutez plus attentivement, écoutant les mots, le ton et les silences.

4. Prenez une respiration consciente maintenant et, alors que vous écoutez, détendez-vous et ancrez-vous dans le moment présent.

5. Remarquez comment vos propres réactions intérieures — enthousiasme, consentement, justification, rejet — peuvent vous distraire et vous éloigner.

6. Quand vous répondez à l'autre, essayez de faire des pauses adroites, vous permettant des réponses ou des avis plus profonds, plus authentiques.

7. Prenez plaisir aux nouvelles perspectives et au sentiment de lien plus profond que vous ressentez.

70

un jardin de gratitude

Trouvez-vous souvent le temps d'exprimer ouvertement votre gratitude envers votre patron, vos compagnons de travail ou vos clients ? Dans nos vies au rythme effréné, nous oublions d'honorer et de faire l'éloge des personnes avec lesquelles nous passons souvent plus de temps par semaine qu'avec nos propres amis et notre famille. Prenez seulement quelques minutes pour semer les graines de la reconnaissance et les regarder pousser. Voici quelques suggestions pour vous inspirer.

1. Écrivez une petite lettre à un compagnon de travail, lui disant à quel point vous êtes reconnaissant pour tout le travail qu'il a fait et pour son dévouement.

2. Faites savoir à votre superviseur ou au chef de votre service à quel point vous appréciez votre emploi, l'horaire, la flexibilité, ou tout élément particulier de votre travail.

3. Avant de manger votre lunch, dites les grâces. Exprimez silencieusement votre reconnaissance d'avoir des aliments savoureux à votre table, un emploi stable et une paie assurée, et votre gratitude pour la santé et le bonheur dont bénéficient tous ceux que vous aimez.

Engagez-vous à dire à chacun des employés, collègues ou compagnons de travail avec lesquels vous interagissez: « Merci pour ton aide aujourd'hui. J'apprécie vraiment ta participation et ta serviabilité. »

71

merci beaucoup

Il est facile de critiquer quelqu'un pour ce qui semble aller mal ou pour ce qui ne fonctionne pas.

Lorsque vous laissez tomber la critique et que vous regardez plutôt le succès, vous vivez une tout autre expérience.

Essayez l'exercice suivant et prenez plaisir à ce changement de perspective.

1. Respirez consciemment ou écoutez attentivement pendant environ une minute.

2. Déterminez votre intention. Par exemple: « Que cet exercice m'apporte du bonheur, ainsi qu'aux autres. »

3. Respirez consciemment à quelques reprises encore.

4. Pensez à un compagnon de travail. Souvenez-vous d'un beau travail qu'il a fait ou d'un succès qu'il a remporté. Regardez de plus près. Voyez ce qu'il a surmonté. Voyez à quelles exigences il a satisfait.

5. Respirez consciemment à quelques reprises encore.

6. Pensez toujours à cette même personne. Prenez en considération un moment où elle vous a aidé. Regardez de plus près.

7. Reconnaissez son appui. Remerciez cette personne de la façon qui vous semble la plus appropriée.

72

accroître ses forces

Quand vous travaillez pour quelqu'un ou avec quelqu'un qui a une attitude condescendante ou un ton paternaliste, cela peut écraser l'estime que vous avez de vous-même et attirer l'attention sur vos fragilités. Vous finissez par vous dire : « Je suis trop stupide. Je ne peux jamais rien faire correctement. Qu'est-ce qui ne va pas chez moi ? » Il se peut que vous ne soyez pas bien placé pour changer la manière condescendante avec laquelle cette personne vous traite, mais vous pouvez modifier vos réactions lors d'interactions négatives. Soutenez votre confiance en vous-même en faisant l'exercice qui suit.

1. La prochaine fois que vous vous sentirez sous-estimé, rabaissé ou rudoyé en paroles, faites une liste de toutes vos tâches et responsabilités, peu importe qu'elles soient importantes ou ordinaires, qui font que votre travail est accompli en douceur.

2. Examinez vos forces et la manière dont vous les utilisez chaque jour dans votre travail. Utilisez un surligneur pour marquer toutes les choses pour lesquelles vous êtes doué.

3. Gardez cette liste à portée de la main, dans le tiroir de votre bureau, dans votre porte-document, dans votre sac à main, ou affichez-la sur votre ordinateur. Cette liste est là pour vous rappeler quotidiennement que personne ne peut vous enlever vos talents, vos compétences et vos forces.

73

couper les liens

À différents moments de votre vie, il se peut que vous ayez vécu des moments très chargés sur le plan émotif, comme la mort d'un être cher, un chagrin, une frayeur, une crise et l'inconnu. Pendant ces moments épuisants psychologiquement, il peut être difficile pour vous de mettre de côté vos problèmes personnels afin de vous concentrer sur votre travail. Quand vous éprouvez de la difficulté à laisser vos problèmes personnels à la maison, faites l'exercice suivant du « lâcher-prise ».

1. Assoyez-vous en silence avec vos émotions pour un moment. Examinez quels sont les sentiments personnels ou les souvenirs qui ont été remués pendant votre travail.

2. Visualisez un fil imaginaire qui vous maintient attaché aux événements perturbants qui ont refait surface durant la journée et qui vous gardent bloqué là émotivement.

3. Imaginez que vous coupez ces liens avec une paire de ciseaux ou un couteau, vous libérant afin de maintenir une saine distance, et vous allouant l'espace dont vous avez besoin pour rompre avec ces situations mentalement épuisantes.

Voyages, échéances, frustrations et autres possibilités

74

le chemin vers les solutions

Lorsque vous êtes celui qui doit recevoir les plaintes d'autres personnes, que ce soit au service à la clientèle, ou de la part d'un employé mécontent ou en conflit, vous devez vous sentir entraîné de force sur un sentier tortueux et interminable, semé de réactions négatives et de mécontentement. Vous pourriez vous sentir piégé entre la frustration et la déception d'une personne et les plaintes d'une autre concernant un problème de procédure dont elles ne sont pas responsables. Des jours comme ceux-là sont mieux gérés si on a le souci d'être prévenant et bienveillant envers les personnes concernées. Voici comment garder une attitude positive tandis que vous travaillez à trouver une solution.

- Comme vous le savez, trouver des solutions durables prend souvent du temps. Après avoir écouté les parties en conflit, prenez quelques minutes pour créer dans votre esprit une image mentale de ces personnes dans un état de satisfaction. Imaginez que vous êtes sur une voie où les possibilités de résolution sont illimitées, où chaque problème est traité équitablement et où chacun se sent rassuré.

- Pendant votre visualisation, restez ouvert aux signes particuliers ou inattendus qui pourraient orienter différemment votre façon de regarder cette situation malencontreuse. Avec un nouveau regard, votre perspective change, ce qui peut disposer votre esprit à découvrir des solutions novatrices. Voir le problème dans son ensemble vous permet de devenir un réceptacle de sagesse, capable d'accueillir des solutions inventives.

75

adieu, M. Mépris

À l'instar d'autres modèles de penser et de sentir, l'autocritique et le mépris deviennent plus forts avec de la pratique. Les frustrations déclenchent habituellement un discours intérieur méprisant.

La plupart des gens n'ont pas conscience du nombre de fois et de la force avec laquelle ils pratiquent, dans leur façon de penser, l'autocritique et le mépris.

Se libérer de telles habitudes — porter des jugements intérieurs qui cherchent constamment à se blâmer — commence par la pleine conscience des pensées et des sentiments, et se poursuit avec de la bienveillance envers soi-même.

1. Quand vous êtes perturbé et reconnaissez que des voix intérieures d'auto-accusation et d'autocritique se manifestent, arrêtez-vous et respirez consciemment pendant environ une minute.

2. Déterminez votre intention. Par exemple : « Que cet exercice me libère de l'habitude de m'autocritiquer. »

3. Écoutez plus attentivement et imaginez que vous laissez le champ libre à toutes vos pensées négatives. Ne les combattez pas et ne discutez pas avec elles; vous n'avez pas à les approuver, non plus. Laissez-les « être ». Laissez-les s'en aller.

4. Ayez la pleine conscience de votre corps. Notez toutes les sensations de tension ou de rétention. Respirez en elles. Laissez de l'espace autour de ces sensations.

5. En continuant de respirer consciemment, posez-vous avec bienveillance cette question : « Toutes ces critiques sont-elles vraies ? » « Comment pourrais-je savoir si elles le sont ? » « Comment pourrais-je savoir si elles ne le sont pas ? » Écoutez toutes les réponses.

76

les leçons de la nature

Si votre travail exige une créativité colossale pour que l'entreprise reste concurrentielle, alors vous devez sans doute éprouver des sentiments de stagnation, qui peuvent se manifester quand vous sentez que vous n'êtes plus dans le coup (de la créativité). Ou, peut-être, êtes-vous à court d'idées novatrices pour votre prochain projet. Avant de « jeter l'éponge » ou de baisser les bras, faites le prochain jeu ingénieux, qui laisse la nature devenir votre muse.

1. Construire de nouvelles possibilités signifie retirer vos œillères ou lancer votre imagination sur des voies d'exploration plus larges et encore insoupçonnées.

Commencez par aller dehors et demander l'aide de la nature. Apportez vos outils de travail, comme une caméra, des pinceaux ou un stylo.

2. Dehors, choisissez un élément de la nature sur lequel concentrer votre attention — une plante, un animal, un insecte ou une averse de neige.

3. Demandez à la nature de vous aider: « Que puis-je apprendre d'un amoncellement de nuages? » ou « Qu'est-ce que les abeilles savent de mon projet? » ou « Quel conseil pourrait me donner mon chien concernant mon problème? »

4. Soyez patient et réceptif aux chuchotements de la sagesse et aux indicibles secrets provenant d'endroits que vous n'avez jamais imaginés. Laissez la splendeur et la beauté infinies de la nature vous guider.

77

surveiller son dos

La frustration et le stress, un sentiment insistant d'urgence ou ne serait-ce que l'impression d'être surchargé peuvent mener à un manque d'attention et à une condition physique médiocre, qui se manifestent pendant les activités physiques au travail ou durant les pauses. C'est le dos qui paie souvent le prix d'un stress et d'une déconcentration dont on ne s'occupe pas.

Apprenez à protéger votre dos en étant à son écoute plus consciemment et plus souvent.

Essayez l'exercice suivant pour augmenter la pleine conscience de votre dos.

1. Respirez consciemment pendant environ une minute.

2. Déterminez votre intention. Par exemple: « Que je protège mon dos en ayant une plus grande conscience. »

3. Portez attention à votre dos. Laissez venir les sensations en provenancc de la colonne lombaire, de la colonne dorsale, puis de la région cervicale et des épaules, avec bienveillance et sans jugements.

4. Reconnaissez la tension ou la raideur. Pendant que vous respirez, imaginez que l'expiration évacue la tension ou le stress inutiles.

5. Votre dos est votre ami. Soyez-lui reconnaissant de temps à autre, et portez-lui une attention consciente chaque fois que vous y faites appel.

78

requête à l'Être supérieur

Vous estimez-vous sous-payé et sous-évalué dans votre emploi actuel ? Vous y consacrez du temps, on a pu compter sur vous, vous avez été digne de confiance et dévoué et, malgré tout, vous ne gagnez toujours pas votre juste part financièrement. Il se peut aussi que la compagnie soit en période de réduction des effectifs, ou qu'elle vienne d'annoncer un gel des salaires et des promotions. Que pouvez-vous faire ?

- Commencez par examiner attentivement les choix qui s'offrent à vous et par comploter avec l'univers pour obtenir ce que vous voulez vraiment de la vie et ce dont vous avez réellement besoin.

- Faites mentalement une liste des scénarios les plus plausibles, tels qu'une augmentation de salaire, une promotion ou une offre d'emploi idéale qui s'est présentée d'elle-même.

- Posez-vous cette question : « De quoi aurais-je besoin pour me sentir estimé et valorisé pour le travail que j'accomplis ? »

- Partagez cette information avec vos amis et votre famille. Songez à l'inclure dans le bénédicité que vous dites avant le repas.

- Dans votre esprit, effectuez une courte cérémonie intime pendant laquelle vous confiez cette requête sacrée à votre Être supérieur. Soyez attentif à ses puissantes possiblités qui peuvent se glisser dans votre vie de façons inattendues.

79

gestion de crise

Au travail (ou en tout temps), quand vous vous sentez subitement accablé par tout sentiment pénible — douleur, peur, doute, colère, frustration, par exemple — essayez l'exercice suivant de « gestion de crise ».

1. Portez immédiatement une attention consciente, nourrie de bienveillance et de compassion, à votre vie intérieure.

2. Ouvrez-vous aux sensations à l'intérieur de votre corps et aux pensées qui s'activent, puis accueillez-les. Notez le « ton » de ces pensées.

3. Si cela est possible, nommez le sentiment: « colère » ou « peur », par exemple.

4. Respirez consciemment à quelques reprises encore pendant que vous intégrez — sans le combattre — le bouleversement. Continuez à nommer doucement ce qui se passe. Faites-y face sans ressentiment.

5. Pendant que vous respirez consciemment, imaginez qu'un grand espace commence à s'ouvrir en vous, qui enveloppe toutes vos sensations et vos pensées, leur permettant d'aller et de venir plus librement.

6. Soyez patient et ayez foi en vous-même pendant que vous respirez consciemment, et reposez-vous encore et encore dans cet espace. Que découvrez-vous?

80

à l'abri du danger

Quand votre période de travail vous cause un stress terrible, vous avez besoin de vous recentrer et de vous concentrer immédiatement. Ce genre de pression critique ne tolère ni la négligence ni les erreurs. Commencez chaque journée de travail avec un exercice de relaxation afin de vous ancrer dans le présent et de vous centrer pour toute la journée.

- Soyez conscient du rythme de votre respiration et prenez note de tout ce que vous ressentez, sentiments et sensations, en ce moment. Êtes-vous reposé et vigilant ou êtes-vous anxieux ? Vous sentez-vous irrité par un événement récent ? Êtes-vous joyeux, apathique ou déprimé ?

- En position debout, les pieds bien ancrés sur le sol, prenez trois respirations naturelles et, à chaque inspiration, dites à vous-même: « Je suis conscient de mon humeur et de mes pensées. » « Je suis conscient de mon contact avec la terre. » « Je suis dans mon corps en ce moment. »
- À chaque expiration, dites vos intentions: « Que ce moment m'enracine dans le présent, m'apporte un sentiment de tranquillité et me mette à l'abri du danger. »

Quand les exigences strictes du travail créent une pression constante sur vous, ce qui vous place dans une situation potentiellement dangereuse, commencez votre période de travail avec un exercice conscient de réaffirmation de votre capacité de vous concentrer dans l'ici et maintement.

81

allez-y, je vous prie

Ne sous-estimez jamais le pouvoir de la générosité. Il peut apporter bien-être et joie dans des moments et des situations qui, autrement, ne seraient que précipitation et tension.

En voyageant (ou à tout moment), explorez le pouvoir de la pleine conscience jumelée à la générosité.

1. Apprenez à reconnaître ce sentiment de précipitation intérieure, d'irritation ou de contrariété qui est en vous.

2. Reconnaissez la contrariété avec bonté et compassion envers vous-même. Souvenez-vous avec bienveillance que le fait de se sentir contrarié n'est *pas* un échec ou un défaut.

3. Respirez consciemment ou écoutez attentivement pendant environ une minute.

4. Déterminez votre intention. Par exemple : « Je souhaite découvrir plus de choses sur le stress et sur le pouvoir de la générosité. »

5. Regardez autour de vous pour trouver des occasions d'aider quelqu'un, et faites-le ! Par exemple, laissez une personne se mettre devant vous dans une file d'attente, laissez votre place de stationnement à une autre, offrez votre siège, proposez de l'aide à quelqu'un qui en a besoin.

6. Sans attentes ni jugements, remarquez comment vous vous sentez après chaque don.

82

l'instinct de conservation d'abord

Votre travail peut exiger beaucoup de vous. Votre haut niveau de responsabilité peut vous amener à subir, par moments, une grande pression et à être forcé de laisser en plan ce que vous étiez en train de faire. Cela peut exposer votre esprit et votre corps à une montée rapide et irrépressible de stress et d'anxiété. Il se peut que vous ayez sauté un repas ou oublié de satisfaire à vos besoins élémentaires avant de vous précipiter au travail. Prendre soin de soi n'est pas facile pour la plupart des gens, mais c'est essentiel pour rétablir un sentiment de bien-être et de santé. Prenez quelques instants pour vous défaire de ces impulsions frénétiques, dans le but de préserver votre instinct de conservation.

- Commencez par faire mentalement une liste de vos besoins élémentaires en tant qu'être humain pour chacun des jours de votre vie, comme de l'eau, un abri, de la nourriture, de la chaleur, des vêtements, etc.

- Notez les choses que vous avez négligées pendant que vous vous précipitiez pour satisfaire aux exigences de votre travail. Avez-vous oublié de boire de l'eau aujourd'hui? Quand avez-vous pris pour la dernière fois un repas assis à une table? Avez-vous laissé tomber votre entraînement au gymnase?

- Que pouvez-vous faire en ce moment qui vous permettrait de prendre mieux soin de vous? Par exemple, hydrater votre organisme, commander des plats à être livrés, ou vous laver les mains et le visage pour calmer vos nerfs à bout?

À l'avenir, pensez à garder une bouteille d'eau à portée de la main en tout temps, ou à vous préparer des goûters avant de partir au travail.

83

juste pour vous

Chaque fois que vous vous sentez surchargé ou excessivement occupé, que ce soit en voyageant ou ailleurs, prenez cinq bonnes minutes juste pour vous.

C'est le temps de mettre de côté l'affairement et de vous soustraire à l'impulsion d'agir. C'est le moment de goûter à la liberté qui se trouve en s'arrêtant et en laissant les choses « être ».

1. Respirez consciemment ou écoutez attentivement pendant environ une minute.

2. Déterminez votre intention. Par exemple: « Que cet exercice m'apporte de la paix et du bien-être. »

3. Continuez à respirer consciemment ou à écouter attentivement.

4. Pour le reste de cette méditation, permettez-vous de lâcher prise sur toute planification, toute explication ou toute justification.

5. Il n'est pas nécessaire de lutter ou d'argumenter, même s'il s'agit de pensées importunes ou d'autres distractions.

6. Laissez la méditation — l'attention centrée sur la respiration ou sur les sons — vous porter. Allez aussi profondément que vous vous sentez en sécurité.

7. Ressentez et savourez la vie qui circule en vous en ce moment.

84

alerte rouge !

À votre travail, l'ordinateur central est en panne, tout le monde est affolé et c'est vous qui êtes le responsable de sa bonne marche. Ou une crise éclate hors site, dans une autre province, et vous avez été mandaté pour régler le problème. S'il est primordial que ce problème soit réglé à toute vitesse dans des délais serrés, il est tout aussi indispensable de ne pas perdre le contrôle de vous-même en devenant affolé et angoissé. Des décisions techniques de la plus haute importance doivent être prises la tête froide. L'exercice suivant est un guide qui vous aidera à accroître votre patience et votre résistance quand vous subissez une pression extrême.

- Commencez par vous centrer sur votre rythme et votre mouvement respiratoires pendant que vous êtes assis ou que vous travaillez sur place. Est-ce que vous retenez votre respiration ou si vous respirez naturellement? Le mouvement respiratoire se fait-il davantage sentir dans votre poitrine que dans votre ventre? Une respiration rapide qui vient de la poitrine peut entraîner de la tension et de la fatigue physiques.

- Entraînez-vous à ralentir votre rythme respiratoire et à descendre le mouvement de votre respiration vers le ventre.

- Déterminez votre intention en disant: « Malgré cette crise au travail, je suis en train de rétablir ma patience et ma résistance avec chaque respiration. »

Donnez-vous la permission de bouger méthodiquement et avec précaution dans chaque tâche que vous accomplissez, ce qui améliorera votre capacité à travailler dans des conditions contraignantes.

85

fatigué ?

Prendre soin de soi efficacement procède d'une conscience de soi, jumelée à de la bienveillance et à de la compassion.

Chaque fois que vous vous sentez fatigué et plus spécialement lorsque vous êtes épuisé, saisissez cette occasion pour prendre soin de vous-même.

Au lieu d'alimenter la colère, un discours intérieur négatif ou un sentiment de désespoir dû à votre fatigue, essayez l'exercice suivant.

1. Respirez consciemment ou écoutez attentivement pendant environ une minute.

2. Déterminez votre intention. Par exemple: « Que cet exercice m'apporte du bien-être. »

3. Centrez une attention consciente sur l'intérieur de votre corps — sensations, niveau d'énergie, degré de vigilance.

4. Reconnaissez avec compassion tous les sentiments de fatigue ou d'ennui. Il n'est pas nécessaire de les combattre, de les éviter ou de les défendre. Ne faites que respirer consciemment, permettant à ces sentiments d'intégrer votre pleine conscience en ce moment.

5. Posez-vous doucement cette question: « Comment puis-je le mieux prendre soin de moi en ce moment ? » Écoutez toutes les réponses.

6. Avec bienveillance et compassion, choisissez la réponse la plus sage.

86

une bulle de sécurité

Il y a des moments dans la vie où on est taraudé par la peur — celle de déplaire à son supérieur, de ne pas réussir à respecter une échéance, ou celle de subir les foudres d'un patron en colère. Ces angoisses refoulées peuvent déclencher un stress énorme, qui peut vous donner l'impression d'être vulnérable et de ne pas vous sentir en sécurité à votre travail. La prochaine visualisation peut vous être utile pour recréer un espace de protection et de sécurité émotionnelles.

1. Commencez par trouver un endroit tranquille, à votre poste de travail ou à votre lieu de travail, et fermez les

yeux. Libérez votre esprit des préoccupations accablantes, et donnez-vous la permission de ne faire que vous reposer paisiblement pendant quelques instants.

2. Dessinez une bulle imaginaire ou une clôture de protection qui vous entoure de près. Dites à haute voix ou à vous-même: « À l'intérieur de ce cercle de sécurité, je suis protégé de mes peurs intimes et de mes soucis. Ici, aucun mal ne peut m'être fait. »

3. Maintenant, reculez petit à petit votre clôture de protection vers l'extérieur pour y intégrer la pièce dans laquelle vous êtes ou votre environnement immédiat. Visualisez votre filet de sécurité élargi qui englobe maintenant de plus en plus de choses, comme les gens, les animaux de compagnie, les êtres chers, les compagnons de travail et même la planète.

Souvenez-vous de retourner dans ce refuge mental de protection quand vous vous sentez menacé ou en danger.

87

vos espaces dans le boulot 24/7

Trouvez-vous que votre travail exige de vous un investissement de temps de vingt-quatre heures et de sept jours par semaine, du moins par moments ?

Pendant de telles périodes d'intensité, votre travail et votre vie ne font qu'un.

Dans ces moments si exigeants, prendre soin de soi est vital et particulièrement déterminant. Vous pouvez développer, avec compassion, le souci de rester bien vivant dans les espaces de temps à l'intérieur de votre boulot 24/7.

1. Délibérément, cherchez des espaces — des moments de pause — dispersés ici et là au cours de votre investissement de 24/7.

2. Prenez un de ces espaces et respirez consciemment ou écoutez attentivement pendant tout ce moment de pause. Quel effet cela vous fait-il ?

3. Prenez une autre période. Faites un exercice de relaxation intense ou un exercice qui vous inspire et vous ragaillardit.

4. Prenez un autre espace encore. Puisez de l'énergie de « La situation dans son ensemble » — c'est-à-dire la plus grande signification que votre travail peut avoir.

5. Prenez un autre temps. Demandez-vous : « De quels appuis est-ce que je bénéficie en ce moment ? »

6. Laissez toutes ces espaces de pause vous donner des forces.

88

raviver la joie

À certains moments de votre vie, il se peut que vous vous sentiez moins « branché » sur le travail que vous faites. Votre travail quotidien perd de l'attrait, et vous devenez à court d'inspiration. Chaque journée vous propulse dans une bataille ardue et périlleuse qui vous laisse épuisé et découragé bien avant la fin de la journée. Que pouvez-vous faire pour raviver l'intérêt et la joie au travail ?

1. Tout d'abord, pensez à des moments où vous ressentiez du plaisir et où vous mettiez de la curiosité dans la réalisation de vos tâches. Veniez-vous tout juste de maîtriser un nouveau logiciel informatique ? Était-ce

après l'annonce d'une promotion? Avez-vous aimé former d'autres personnes et découvrir leurs compétences?

2. Pendant que vous vous rappelez ces moments où vous étiez branché et satisfait d'un travail intéressant, expirez très doucement avec un léger sourire.

3. Examinez des façons d'intégrer ces tâches, autrefois joyeuses ou intéressantes, à votre travail actuel. Si vous détestez travailler seul, pouvez-vous trouver des tâches qui impliquent une dynamique d'équipe? Si vous détestez votre boulot routinier, pouvez-vous vous renseigner sur la façon d'explorer de nouvelles avenues afin de développer plus avant vos compétences?

Voilà l'occasion de cesser de vous plaindre de ce qui ne va pas et de vous engager à relever de nouveaux défis.

89

qu'est-ce que j'ai fait!?!

Nous avons tous fait l'expérience d'être notre plus sévère critique.

La médecine moderne du comportement reconnaît — et les recherches le confirment — que ce que vous pensez de vous-même et la manière dont vous vous parlez à ce sujet peuvent avoir un effet — positif ou négatif — sur votre santé.

Quand « les juges siègent » dans votre tête, critiquant tout et rien, essayez l'exercice suivant.

1. Respirez consciemment ou écoutez attentivement pendant environ une minute.

2. Déterminez votre intention. Par exemple: « Que cet exercice m'apporte la paix. »

3. Respirez consciemment à quelques reprises encore.

4. Centrez votre attention sur toute pensée négative ou critique qui survient. Laissez-la parler sans vous défendre ou sans argumenter avec elle.

5. Respirez consciemment. Rappelez-vous que vous n'êtes *pas* vos pensées. Demandez-vous: « Ces pensées sont-elles vraies? » et « Comment pourrais-je le savoir? »

6. Écoutez toutes les réponses avec bienveillance et compassion envers vous-même.

90

votre vraie voix intérieure

Saisir une nouvelle opportunité de carrière qu'on vous propose ou accepter une promotion qu'on vous offre est une décision qui n'est pas toujours facile à prendre. En fait, cela peut vous déstabiliser émotionnellement. Il se peut que vous vous sentiez coincé entre votre loyauté envers votre patron actuel et votre désir de faire progresser votre carrière. C'est une situation délicate et elle nécessite de prêter attention à votre voix intérieure de sagesse. Le prochain exercice vous aidera à écouter l'appel de votre vraie voix intérieure et à rester sur votre sentier de la découverte de soi.

- Commencez par une liste succincte du pour et du contre en ce qui concerne votre emploi actuel par rapport au nouvel emploi offert. Soupesez des facteurs comme vos relations, vos amitiés, l'emplacement du lieu de travail, le niveau de stress, et ainsi de suite.

- Avant de prendre une décision finale, vivez les émotions que vous éprouvez en ce moment. Avez-vous peur de l'inconnu ? Est-ce que la crainte de décevoir des gens vous inquiète ? Avez-vous peur de prendre une décision irréversible ?

- Souvenez-vous de rester conscient de votre rythme respiratoire, laissant entrer les pensées apaisantes en inspirant et laissant partir les pensées troublantes en expirant. Pendant ce bref moment de silence, soyez ouvert et réceptif à votre voix de la raison et faites confiance à votre capacité d'arriver à ce qui est le mieux pour vous.

91

voyager intelligemment

Voyager, particulièrement ces temps-ci, peut s'avérer très stressant.

Emporter dans vos bagages un peu d'intelligence émotionnelle peut être d'un grand secours pour atténuer le stress. N'oubliez pas aussi d'inclure une conscience de soi, une capacité de prendre soin de vous-même, et une gestion sage de vos réactions.

1. À l'aéroport, dans un train ou un autobus, dans une zone d'inspection, entassé dans un avion — où que vous soyez — ancrez et fixez votre attention en respirant consciemment ou en écoutant attentivement.

2. Affirmez-vous. Par exemple: « Je peux réussir. J'ai toute l'intelligence, le courage, la force et le soutien dont j'ai besoin. »

3. Amenez une pleine conscience à votre vie intérieure. Si vous vous sentez bousculé, visualisez le stress qui s'envole au loin à chaque expiration. Si vous êtes anxieux, imaginez que chaque inspiration vous remplit de paix et de tranquillité. Si vous êtes en colère ou contrarié, souhaitez silencieusement à ceux qui vous entourent sécurité et bien-être.

4. Que tous vos voyages soient sûrs et protégés.

92

criez-le

Il nous est tous arrivé d'avoir reçu de mauvaises indications routières ou d'avoir été bloqués dans une circulation infernale. Et nous n'avons pas tous le privilège d'avoir un programme informatique installé dans le tableau de bord de notre automobile, ou un mini-ordinateur à écran tactile qui peut nous fournir des indications routières traduites en trente-deux langues. Vous êtes perdu, vous tournez en rond, et vous êtes en retard à une réunion d'affaires importante ou à un rendez-vous. Cela est suffisant pour que votre niveau de stress monte en flèche et se transforme en rage au volant. Demandez-vous: que représentent cinq minutes de plus quand vous êtes déjà en retard? Si vous vous apprêtez à rencontrer un client bien en vue, pourquoi ne pas prendre quelques minutes pour libérer votre fureur et vous défouler mentalement, de préférence si vous êtes seul?

- Inspirez profondément et, en expirant, la bouche grande ouverte, criez à tue-tête ou hurlez une ou deux exclamations comme « Ahhh! » ou « Oui! oui! oui! » ou « Je peux le faire! » Essayez à quelques reprises, puis criez-le vraiment à pleins poumons.

- Comment vous sentez-vous? Étiez-vous gêné, embarrassé que quelqu'un puisse vous entendre ou vous voir? Avez-vous ressenti comme un soulagement d'une certaine frustration accumulée?

- Remplissez vos poumons d'air encore une fois, et criez quelque chose de nouveau, comme « Je me sens vivant! » ou « Je suis au sommet du monde! » ou « Je suis une force de la nature! » Sentez-vous libre de crier à tue-tête vos joies, vos peines ou vos contrariétés.

- Observez les battements de votre cœur, le rythme de votre respiration et toutes les autres sensations physiques. Quels changements pouvez-vous noter?

93

se sentir à l'étroit?

Quand vous voyagez, vous semble-t-il que les sièges ont rétréci, que plus de gens les occupent et que ceux-ci sont plus corpulents qu'avant?

Quand vous vous sentez à l'étroit, même après avoir fait tout ce qui est possible pour maximiser votre espace physique, utilisez l'exercice suivant pour vous reposer dans un espace *intérieur* infini.

1. Fermez les yeux et respirez consciemment ou écoutez attentivement pendant environ une minute.

2. Déterminez votre intention. Par exemple: « Que cet exercice me laisse dans le bien-être et la paix. »

3. Prêtez une attention bienveillante à votre corps. Imaginez que la tension et le stress s'envolent au loin avec chaque expiration. Sentez que votre corps se détend et s'alourdit.

4. Dirigez votre attention vers les sons. Écoutez attentivement. Trouvez les intervalles entre les sons, en remarquant comment chacun d'eux s'élève et repart de ces espaces de silence. Laissez votre esprit et votre cœur se reposer dans ces espaces.

5. Aussi souvent que vous le désirez, lorsque vous vous sentez calme et plus détendu, souhaitez-vous du bien, en utilisant une phrase comme: « Je souhaite être en sécurité et rempli de paix ! »

94

combattre la fatigue

Si votre emploi exige de faire de longues heures, la fatigue reliée au travail prolongé doit vous être très familière. Vous avez les yeux lourds, vous sentez votre corps plongé dans une sorte de torpeur, et vous ne pouvez pas vous empêcher de tomber endormi. Vous pourriez attendre que ce moment passe, mais, tôt ou tard, l'épuisement finit par vous rattraper. Le prochain exercice vous aidera à rester plus vigilant et à améliorer votre concentration.

- Remarquez l'attitude et la position de votre corps. Êtes-vous avachi, les épaules rentrées, la nuque raide?

- Songez à faire quelques ajustements qui amélioreront votre confort et vous rendront plus à l'aise dans votre corps. Vous pourriez vouloir ouvrir la fenêtre pour prendre une bouffée d'air frais ou boire avidement de l'eau pour vous hydrater.

- Détournez votre esprit des pensées à propos du long chemin qui vous reste à parcourir, et centrez-vous sur l'endroit où vous êtes à ce moment-ci. Quelles nouvelles observations pouvez-vous découvrir concernant votre parcours d'aujourd'hui ?

Prêtez attention à votre entourage. Vous pourriez découvrir une beauté nouvelle et inexplorée que vous n'aviez jamais remarquée auparavant. Laissez-la vous raviver.

95

pas une autre échéance!

Tôt ou tard, chacun de nous se heurte à ce mur où il se sent complètement stressé.

Le comble, ou la goutte qui fait déborder le vase peut être quelque chose comme la routine quotidienne, une échéance supplémentaire à respecter, encore une autre réunion, ou une chose de plus à accomplir.

Pour un soulagement immédiat, essayez cet exercice.

1. Éloignez-vous de votre bureau ou quittez votre poste de travail et trouvez un peu d'intimité.

2. Respirez consciemment ou écoutez attentivement pendant environ une minute.

3. Déterminez votre intention. Par exemple : « Que cet exercice m'apporte du soulagement et du bien-être. »

4. Respirez consciemment ou écoutez attentivement à quelques reprises encore.

5. Pensez à une chose pour laquelle vous êtes reconnaissant. Nommez-la. Soyez concret — par exemple : « Je suis suffisamment en santé pour travailler. J'ai des amis et une famille qui m'aiment. »

6. Détendez-vous, respirez consciemment et posez-vous cette question : « Y a-t-il d'autres bienfaits que la vie m'apporte ? » Écoutez toutes les réponses et soyez-en reconnaissant.

7. Faites une affirmation. Par exemple : « Je me souviens que j'ai tout le soutien dont j'ai besoin. »

8. Continuez à prendre soin de vous avec sagesse pendant que vous travaillez.

96

secouer ces inquiétudes

Souffrez-vous du virus de l'anxiété ? La grande roue des incertitudes perturbantes tourne sans fin, particulièrement si votre emploi implique de voyager : « Et si je ratais mon avion ? Je suis peut-être dans le mauvais aéroport ou à bord du mauvais avion ? Et si mes bagages n'arrivaient pas à temps pour ma correspondance ? » L'inquiétude chronique peut vous rendre anxieux et irritable à propos de chaque scénario négatif imaginable. Elle peut entraîner de la haute pression artérielle et de la tachycardie, un estomac perturbé et une crispation musculaire de vos mâchoires, de votre cou et de votre dos. C'est le moment de faire un arrêt pour laisser s'envoler toutes ces préoccupations accablantes au sujet de choses dont le contrôle vous échappe probablement.

1. Concentrez-vous sur votre respiration, vous rappelant que chaque respiration est votre lien intime et miraculeux qui rétablit la paix et le calme intérieurs. Vous êtes incapable de contrôler l'arrivée de votre vol, mais vous pouvez respirer dans un état d'être plus détendu et expirer ainsi vos anxiétés.

2. Observez comment vous vous sentez dans votre corps, en le replaçant avec soin dans une position plus confortable. Soyez conscient des zones où vous emmagasinez votre tension, et remplissez ces zones d'oxygène.

3. Maintenant, secouez votre corps, agitez vos mains et vos bras, trémoussez votre torse, fléchissez vos jambes et bougez vos pieds. Ne soyez pas timide. Secouez ces inquiétudes comme un chien le fait pour chasser l'eau de son pelage.

97

détester ce bruit ?

L'environnement dans lequel vous travaillez peut être parfois assez bruyant.

Êtes-vous toujours en train de mener un combat intérieur contre le bruit et les distractions ?

Pour que vous trouviez du soulagement, il n'est pas nécessaire que tout devienne silencieux ou disparaisse. Essayez l'exercice suivant pour explorer la paix qui se trouve à l'intérieur de vous.

1. Au milieu du bruit, assoyez-vous et respirez consciemment ou écoutez attentivement pendant environ une minute.

2. Permettez-vous de faire une affirmation. Par exemple : « J'ai tout ce qu'il me faut pour faire face au bruit. »

3. Vérifiez votre « température intérieure » avec bienveillance et compassion. Reconnaissez et acceptez tous les sentiments de frustration ou de rancune que vous pourriez ressentir. Respirez consciemment, en ne combattant pas ces sentiments et en ne les alimentant pas non plus. Laissez-les venir et partir.

4. Dirigez votre attention vers les sons. Écoutez attentivement tous les sons, y compris ceux qui vous importunent. Cessez de lutter. Nommez l'aversion que vous ressentez. Observez ce qui se passe dans votre tête. Détendez-vous. Laissez tout cela « être » tandis que vous écoutez attentivement. Notez comment les sons changent, et comment la paix et l'espace peuvent grandir en vous.

5. Laissez la paix vous soutenir pendant que vous reprenez votre travail.

98

tout près du cœur

Certains d'entre vous font souvent des voyages d'affaires ou participent à des réunions qui exigent de quitter la ville pour des périodes prolongées. Ce temps passé loin de la maison, loin de votre famille et de vos amis peut vous rendre nostalgique et vous laisser le cœur serré. Avez-vous raté le récital de votre enfant ou sa première partie de la saison ? Avez-vous manqué la fête pour l'anniversaire de votre meilleur copain ou de votre petite amie ? Il se peut qu'il y ait un prix à payer pour être au loin : par exemple, manque de contact avec les vôtres et de soutien émotif. Le prochain exercice ouvrira votre cœur à l'amour et ravivera votre sentiment d'être en lien avec vous-même.

1. Dans votre cœur, il y a une sorte de carte routière complexe, qui ressemble à des voies rapides à grande circulation dont chacune mène à une personne qui vous a aimé et que vous avez aimée depuis votre naissance.

2. Visualisez cette carte détaillée, avec ses inclinaisons et ses courbes, ses panneaux indicateurs et ses symboles idéographiques, ses ponts et ses cours d'eaux, ses grottes et ses montagnes, ses vallées et ses lacs.

3. Réfléchissez où mène chacune de ces voies: chez les grands-parents, la belle-sœur, le petit-fils, les amis d'enfance, le premier amour ou chez votre gardienne favorite.

Rappelez-vous que chacune de ces voies va vous aiguiller dans la direction d'un amour qui ne peut jamais être trop loin de votre cœur, ni oublié.

99

cette personne désagréable et vous

La voilà encore! Vous savez de qui il s'agit — de cette personne désagréable. Elle n'est ni amusante ni aimable et, tout compte fait, antipathique.

L'interaction avec elle vous laisse rempli de rancune, de désarroi et même d'indignation.

Souvenez-vous toutefois que vous pouvez vous protéger et amoindrir votre trouble intérieur.

1. Au cours de l'interaction, utilisez la respiration consciente pour vous ancrer et vous soutenir.

2. Par moments, offrez-vous une affirmation silencieuse. Par exemple : « Je suis suffisamment sage et fort pour gérer cette situation. »

3. Tandis que vous écoutez les paroles de cette personne, voyez à quel point elle essaie, elle aussi, d'être heureuse, comme tout le monde.

4. Pendant que vous regardez cette personne, imaginez-la enfant. Quelle souffrance a-t-elle vécue ?

5. Quand vous lui parlez, essayez de lui souhaiter du bonheur. Par exemple : « Je suis désolé d'apprendre cela. J'espère que les choses s'arrangeront. »

6. Protégez-vous. Fixez consciemment des limites et retirez-vous respectueusement.

7. En quittant cette personne, dirigez votre attention et votre cœur ouvert vers votre prochaine respiration.

100

apaisement du corps dans un aéroport

Si votre emploi exige de fréquents déplacements, vous avez passé beaucoup de temps dans des aéroports. Vous avez eu votre juste part de vols retardés — qui se sont soldés en correspondances ratées — vous laissant épuisé et éprouvé avant même que vous ayez commencé à travailler.

Il y a des endroits pires qu'un aéroport sur la planète pour rester bloqué, mais ce n'est en rien une consolation lorsque vous vous sentez piégé et fatigué, et qu'il y a des gens qui vous attendent à votre destination. Prenez quelques minutes entre les vols, malgré le manque d'intimité, pour faire les étirements dont vos bras et vos épaules ont tant besoin.

- En position debout, de préférence en souliers plats ou pieds nus, écartez vos pieds à la largeur de vos épaules.

- Respirez consciemment une ou deux fois. Restez conscient de l'air qui remplit vos poumons et de celui que vous expulsez.

- Croisez les doigts de vos deux mains ensemble et étirez vos bras vers le plafond, les paumes tournées vers le haut. Gardez la pose pendant trente secondes.

- Relâchez vos bras et laissez-les pendre le long de votre corps, puis répétez cet exercice d'étirement de trois à cinq fois.

À propos des auteurs

Jeffrey Brantley, M.D., est associé consultant au département de psychiatrie de l'Université Duke à Durham, en Caroline du Nord. Il est le fondateur et le directeur du Programme de réduction du stress par la pleine conscience, au Centre universitaire de médecine intégrative de l'Université Duke. Il a été le porte-parole de ce programme à de nombreuses occasions, lors d'entrevues à la radio, à la télévision ou avec la presse écrite. Il est l'auteur à succès de *Calming Your Anxious Mind* et coauteur de *Cinq bonnes minutes le matin*, *Cinq bonnes minutes le soir* et *Cinq bonnes minutes en amour.*

Wendy Millstine, nutritionniste-conseil, est rédactrice pigiste et consultante diplômée en nutrition holistique, spécialisée en régimes alimentaires et en réduction du stress. Elle est coauteure de *Cinq bonnes minutes le matin*, *Cinq bonnes minutes le soir* et *Cinq bonnes minutes en amour.*

7 INGRÉDIENTS ESSENTIELS

pour une vie organisée et équilibrée...

978-2-89092-352-2

978-2-89092-380-5

978-2-89092-412-3